# ARTUR GÓRSKI

# Po prostu zabijałem

Książki Burda

Copyright for this edition © 2016 by Burda Publishing Polska Sp. z o.o.
Copyright for the text © Artur Górski

Burda Publishing Polska Sp. z o.o.
02-674 Warszawa, ul. Marynarska 15
Dział handlowy:
tel. (48) 22 360 38 38
fax (48) 22 360 38 49
Sprzedaż wysyłkowa:
Dział Obsługi Klienta, tel. (48) 22 360 37 77

Redakcja: Melanż
Korekty: Zofia Kozik; Redaktornia.com
Projekt graficzny okładki: Mariusz Banachowicz
Skład i łamanie: Maria Kowalewska
Redaktor prowadząca: Agnieszka Radzikowska
Redaktor techniczny: Mariusz Teler

Zdjęcia: Chris Niedenthal/Forum; Roman Kotowicz/Forum; Piotr Cieśla/Forum;
Zbyszko Siemaszko/Forum; Jacek Barcz/Forum; Krzysztof Pawela/Forum;
Rafał Klimkiewicz/Forum;  Andrzej Marczak/Forum; Janusz Fila/Forum;
Bildagentur Huber/s.Damm/Forum; euroluftbild.de/vario images/Forum;
Michał Sadkowski/Forum; Wojciech Wójcik/Forum; Michał Walczak/Forum;
Tomasz Jodłowski/Forum; Krzysztof Wojciewski/Forum; Witold Kuliński/Forum;
Adam Hayder/Forum; Piotr Borowicz/ Forum

Druk: Adedik S.A.

ISBN: 978-83-8053-172-7

Uprzejmie informujemy, iż zdjęcia zamieszczone w książce mają jedynie charakter
ilustracyjny. Postacie i budynki znajdujące się na fotografiach nie mają żadnego
związku z akcją książki.

www.burdaksiazki.pl

OD AUTORA

Powiedzmy, że nazywa się X. Albo Y – w tej historii jego prawdziwa tożsamość nie ma większego znaczenia. Ostatecznie ta książka nie jest pomnikiem dla wybitnego człowieka, którego nazwiska nie powinno się przekręcać, ale raczej studium pewnego przypadku – historią młodego chłopaka, który przez nieszczęśliwy splot okoliczności zostaje zabójcą. A potem seryjnym mordercą mającym na koncie kilkadziesiąt ludzkich istnień. Przynajmniej według jego wersji.

Kiedy zadzwonił do mnie z zakładu karnego i przedstawił w skrócie swój życiorys, początkowo sądziłem, że ktoś mnie wrabia. Redagowałem magazyn „Focus Śledczy", zajmowałem się ciemną stroną życia na co dzień, ale o czymś takim nigdy nie słyszałem. Nie w takiej skali!

Potem przysłał długi list – na pierwszy rzut oka zwracał uwagę charakter pisma: kaligraficzny, ozdobny, doprecyzowany, niemal artystyczny (ponoć seryjni mordercy przykładają wielką wagę do urody pisma). Treść była znacznie bardziej porażająca od tego, czego dowiedziałem się przez telefon – skazany ze szczegółami opisał swoje zabójstwa i zapewnił, że jeśli się spotkamy historia okaże się jeszcze ciekawsza.

Długo zastanawiałem się, czy powinienem odwiedzać go w zakładzie karnym, a jeśli nawet tam pojadę,

to czy powinienem podać rękę komuś, przy kim bled
nie nawet Hannibal Lecter.

Ale, oczywiście, uścisnęliśmy sobie prawice – okazał
się człowiekiem sympatycznym (mam świadomość, że
nie najlepiej to brzmi) i bardzo spokojnym.

Rozmawialiśmy sami w więziennej kantynie, bez
jakiejkolwiek asysty strażników. Nasze spotkanie trwa
ło bardzo długo i chyba mogę powiedzieć, że w jakimś
sensie się polubiliśmy.

Po kilku miesiącach znajomości zacząłem pracować
nad książką, ale wielokrotnie zmieniałem jej koncepcję.

To nie jest typowa literatura faktu, bo pracując nad
tą trudną do pełnego zweryfikowania materią, posta
nowiłem pomieszać gatunki i połączyć dziennikarstwo
śledcze z literaturą. A skoro oddaję do rąk Czytel
ników propozycję w jakiejś mierze literacką (przy
czym fikcja jest tu w zdecydowanej mniejszości),
to mogę zmieniać i nazwiska bohaterów, i realia geo
graficzne, w których funkcjonowali.

Nawiasem mówiąc, także w pozycjach z kategorii
literatura faktu czasem ukrywa się tożsamość opisywa
nych osób. Niekiedy stosuję taki zabieg, pisząc książki
z serii *Masa o polskiej mafii* – wielu byłych gangsterów
prosi mnie o niepodawanie ich prawdziwych nazwisk
i tylko pod takim warunkiem relacjonują swoją prze
szłość, której istotę oddaję ze stuprocentową wier
nością.

Ale książka *Po prostu zabijałem* nie jest dokładnym
zapisem wspomnień seryjnego mordercy. To, co opo-

wiedział, stało się kanwą (czyli znacznie więcej niż inspiracją) dla tej publikacji, ale w niektórych miejscach pozwoliłem sobie na własną interpretację zdarzeń.

Słynny reportaż literacki Trumana Capote'a *Z zimną krwią*, będący pozornie dokładnym opisem pewnego brutalnego morderstwa, z pewnością zawiera także wiele pisarskich wyobrażeń. Trudno, aby działo się inaczej – dziennikarz czy pisarz z reguły nie byli na miejscu opisywanej przez siebie zbrodni i musieli ją sobie jakoś zwizualizować.

Wiele przestępstw, do których w rozmowach ze mną przyznał się mój bohater, trudno zweryfikować; niełatwo nawet znaleźć jakikolwiek ich ślad, tym bardziej że część z nich zostało popełnionych daleko od naszego kraju.

Zabójca ten odsiaduje wyrok za kilka „głów", ale sam twierdzi, że było ich znacznie więcej i zależy mu na otwarciu śledztw w tych sprawach. Jak mówi – skoro i tak już nie wyjdzie na wolność, to niech ma poczucie, że... zrobił coś, co zasługuje na najsurowszy wyrok. Jeśli ma zostać napiętnowany jako morderca, to niech przynajmniej będzie traktowany jak mistrz tej ponurej profesji. Megalomania? Nie umiem odpowiedzieć na to pytanie – nigdy nie byłem w jego sytuacji i wierzę, że nie będę.

Z tego, co wiem, śledczy pracują nad jego przeszłością i być może za jakiś czas dowiemy się o kolejnym procesie z nim w roli głównej.

Jedno jest pewne – nawet jeśli mój bohater dodaje to i owo do swojego „apelu poległych", nie ma wątpliwości, że był bardzo groźnym zabójcą. Zabijał z taką łatwością, z jaką eliminuje się cele w grze komputerowej (to jego ulubione porównanie).

Ale najważniejsze jest to, że wcale nie musiał stać się tym, kim się stał. Jeśli w końcu zamienił się w potwora, to również za sprawą okoliczności, które go przerosły. Za sprawą ludzi, których w jego życiu zabrakło.

Nie usprawiedliwiam go – pokazuję jedynie, jak łatwo dojść do miejsca, z którego nie ma dobrego wyjścia. I właśnie to jest naprawdę przerażające.

Artur Górski

## ROZDZIAŁ 1

*Kojarzysz zapach pociągu?*

Kojarzysz zapach pociągu? Jakiego? Osobowego, jadącego kilkanaście godzin z jednego krańca Polski na drugi, powiedzmy, z Ustrzyk do Świnoujścia. Albo z Giżycka do Wrocławia. Wszystko jedno – ważne, żeby trasa była długa. Bo wtedy przedział wagonu nasiąka wszystkimi zapachami.

Znasz? Ja spędziłem w nim całe swoje życie... Innego, tak naprawdę, nie pamiętam. Codziennie wchodziłem do wagonu, spędzałem w nim wiele godzin, wysiadałem, robiłem swoje i znowu na dworzec. Potem ten skrzekliwy głos w megafonie: „Uwaga, uwaga, pociąg z iks do igrek wjedzie na tor pierwszy przy peronie pierwszym", światła lokomotywy, pisk hamującego składu, i dalej w trasę. I znów ten kwaśno-gorzki zapach; niektórzy mówią, że to smród. Ale ja tak nie uważam – w domu nie ma smrodu, a pociąg był moim domem.

Gdy tylko poczułem ten zapach, od razu zaczynały mi się kleić oczy – byłem u siebie, bezpieczny, w swoim naturalnym środowisku. Jeśli tylko znajdowałem wolne miejsce, siadałem i zasypiałem. A jak nie było, szedłem do kibla i tam kimałem. Na stojąco też potrafiłem odpłynąć – żyłem bardzo intensywnie, więc zmęczenie nigdy mnie nie opuszczało. Chęć życia też nie – ona była jeszcze silniejsza od snu. Jeśli zapytasz, po co ciągle jeździłem tym pieprzonym pociągiem, odpowiem ci: po życie. Gdybym przestał jeździć, przestałbym żyć. Tak to wtedy czułem...

Jak mówię, szybko zasypiałem, ale gdy tylko docierał do mnie jakiś niepokojący dźwięk, natychmiast się budziłem. Na przykład czyjś podniesiony głos... To mógł być milicjant, więc budziłem się i od razu szykowałem do ucieczki. Gdyby próbował mnie zatrzymać, miałby duże kłopoty – jedynie kule okazywały się szybsze ode mnie. A przecież milicjant nie będzie strzelał do człowieka w wagonie pełnym ludzi.

Czasami budziłem się, bo czułem przez sen, że ktoś na mnie patrzy. Nie śmiej się, ja mam taki dar, dzięki któremu wiem, co się dzieje na jawie... I jestem w stanie zareagować na czas.

Zdarzało się, że jakiś facet gapił się na mnie przez godzinę, a gdy otwierałem oczy, on nawet nie odwracał głowy. Uśmiechał się i mówił:

– Nareszcie się obudziłeś.

A ja na to:

– A czemu to pana interesuje?

– No, bo pomyślałem sobie, że jak taki młody, to pewnie ma mocny sen i przegapił swoją stację.

– Nic nie przegapiłem, ja śpię czujnie.

– Tylko starzy ludzie śpią czujnie. Młody, jak padnie, to jak kłoda.

– A pan to niby skąd wie? Pan też przecież niestary...

– Ale na pewno trochę starszy. I bardziej doświadczony. Ja mam na imię Piotr. A ty?

– Zbyszek.

– Miło mi, Zbyszku. Widzę, że najwyraźniej niepo-
trzebnie się o ciebie martwiłem. Rozumiem, że nie
przespałeś swojej stacji.

– Nie, ja wysiadam dopiero w Radomiu...

– Świetnie się składa, bo ja też z Radomia. Za jakieś
dziesięć minut będziemy na miejscu.

A ja nic na to, bo powoli zaczynam się orientować,
co jest grane. Czasem się mylę, ale przeważnie trafiam
bez pudła. Wzrok rozmówcy prawie nigdy mnie nie
zwodzi. Nie sądzę, żeby facet miał na imię Piotr, jednak jakie to ma znaczenie? Ja też nie jestem Zbyszek.
To znaczy czasem jestem, ale na chrzcie dostałem
zupełnie inne imię. W pociągu występuję pod różnymi
tożsamościami.

– Gdzie mieszkasz, może jesteśmy sąsiadami?

– Na Zielonej, prawie za miastem.

– Aha, gdzieś pod lasem. Lato leśnych ludzi... Jeśli nie
masz nic przeciwko, mogę się z tobą przespacerować. Ja
też jestem z tamtej okolicy, więc to po drodze, a miło
się z tobą rozmawia.

– Mnie z panem też...

Potem wysiadamy i idziemy przez miasto. Gdy domy
zaczynają się przerzedzać, a niebo kryje się w mroku,
Piotr – czy jak on tam ma na imię – zaczyna się do
mnie przytulać. Gładzi mnie po plecach, zjeżdża dłonią
do pośladków, lekko je uciska, potem kładzie rękę na
moim ramieniu. Cały czas pieprzy jakieś farmazony,
coś o męskiej przyjaźni, o samotności, o próżności

kobiet, o tym, że człowiek nie rozumie człowieka. W końcu całuje mnie w policzek. Ja się nie opieram – dobrze wiedziałem, że akcja będzie się rozwijała w tym kierunku. On też słusznie wyczuł, że jestem facetem gotowym podjąć rzucone wyzwanie, tylko jeszcze nie wie, na czym będzie polegała moja reakcja. Jest niesamowicie napalony, z każdą chwilą coraz bardziej. Im łaskawiej pozwalam mu się macać, tym dziwniej bełkocze – jest już w kosmosie i dywaguje na temat samotności kosmonautów. Trafił mi się wyjątkowy przychlast.

Dlatego zaproponowałem spacer w kierunku lasu. Przez lata podróżowania pociągiem dobrze poznałem kraj – orientuję się, gdzie są lasy, gdzie są rzeki, jeziora i odludne miejsca. Wiem, dokąd prowadzić pedałów. Gdyby zaczepił mnie pod Poznaniem czy Olsztynem, znałbym odpowiednie miejscówki.

Gdy zbliżyliśmy się na odległość stu metrów od pierwszych drzew Lasu Janiszewskiego, zapytał:

– Ile?

A ja na to:

– Ile? A za co?

– Żartujesz? Za darmo przecież tego nie robisz... Zrób buzią, ja też trochę cię popieszczę i pójdziesz do domu.

Skinąłem głową, że niby w porządku. Weszliśmy do lasu. Stanął przy jakiejś brzozie i zaczął rozpinać spodnie. Widać było, że bardzo mu się spieszy i każda chwila zwłoki boli go jak atak wyrostka robaczkowego. Wyciągnął z kieszeni płaszcza portfel i pomachał nim przed oczami. Powiedział:

– Ja już jestem gotowy. Nie zawiedź mnie, nie pożałujesz.

A ja na to:

– Ty kurwo męska pieprzona. Ty myślisz, że ci obciągnę druta, bo takie masz życzenie? Twoją forsę i tak wezmę, a ty już żywy stąd nie wyjdziesz.

Błyskawicznym ruchem wyciągnąłem z kieszeni spodni sprężynowy nóż i zatopiłem go w piersi Piotra – spojrzał na mnie przerażonym wzrokiem, coś wycharczał i zaczął się osuwać po pniu brzozy na ziemię. Krew płynęła po jego nabrzmiałym przyrodzeniu.

Zaraz potem skonał. To trwało bardzo krótko – nie chciałem tego przeciągać. Nie byłem żadnym seryjnym mordercą, który czerpie radość z widoku konającej ofiary. Nie fundowałem mu umoralniających kazań, nie znęcałem się nad nim ponad miarę. Po prostu go zabiłem – szybko, niemal bezboleśnie.

Tak jak wielu przed nim i wielu po nim.

Zabiłem kilkadziesiąt osób, a jednak nie uważam się ani za psychopatę, ani za potwora. Zabijałem, żeby żyć. A inaczej żyć nie umiałem. Bo nikt mnie nie nauczył. Ale o tym za chwilę.

Piotra akurat zakopałem i o ile wiem, nigdy go nie odnaleziono. Być może nawet nikt nie zgłosił jego zaginięcia. Ale wielu pozostawiłem na łące, zupełnie nie troszcząc się o to, co się stanie z ich ciałami. Dopóki to nie były moje zwłoki, to nie był mój problem.

Gdybyś wiedział, o ilu zabitych nikt nigdy się nie upomniał...

Samotność to straszna rzecz. Samotność i brak miłości.

ROZDZIAŁ 2

*Śmiać mi się chce*

Śmiać mi się chcę, jak czasami słyszę, że za Gierka Śląsk to była kraina mlekiem i miodem płynąca. Może i gdzieś ten pieprzony miód płynął, ale na pewno nie było go w Pyskowicach. A już na pewno nie w okolicy naszego domu. Mieszkaliśmy w poniemieckich parterowych domach z czerwonej cegły, które już przed wojną były siedliskiem syfu i beznadziei. Wiem, że w 1945 roku, jak już Niemcy dali nogę, Ruscy podpalili ten dom, ale widać, że nawet ogień nie chciał w nim mieszkać, bo budynek jakoś przetrwał. Tyle że odrobinę osmalony tamtym dymem. Ale ludzi tam kwaterowali, bo niby gdzie mieli ich upychać?

Ten dom stoi przy Powstańców Śląskich, niedaleko hotelu Germania – znaczy, kiedyś tam był hotel, za Niemca, szynk też był, a teraz, zdaje się, wiatr hula po piętrach. Stara rudera, nic więcej. Ale nie jestem pewien – dawno już tam nie byłem i pewnie nie będę.

Czasami zachodziliśmy tam z chłopakami, żeby zapalić klubowego albo napić się taniego winka. Jak to nieletni – żeby dorośli nie widzieli. Innego niż tanie krajowe to wtedy nie było. Ale smakowało jak oranżada; było słodkie i chyba lekko musowało. A może nie musowało? Może mylę z czymś innym. Skąd braliśmy winko i fajki? Dawało się kilka złotych jakiemuś dorosłemu i on nam kupował...

O Pyskowicach nie ma co opowiadać – niezbyt ciekawy epizod. No, ale tam wszystko się zaczęło.

Mieszkaliśmy w czwórkę: ja, matka Barbara, ojczym Izydor i ich dziecko – moja przyrodnia siostra Bożenka. Ona to pewnie mnie w ogóle nie pamięta. Bo jak się wystawiłem, znaczy – uciekłem z domu, to ona miała siedem lat. Ja czternaście. A nawet jak mieszkaliśmy pod jednym dachem, to jakoś specjalnie się nie przyjaźniliśmy. Wiedziałem, że ona jest oczkiem w głowie mojego ojczyma. Moja matka też poświęcała jej o wiele więcej uwagi niż mnie – może chciała w ten sposób przypodobać się drugiemu mężowi? Ja byłem, bo być musiałem – niechciane wiano trochę przechodzonej panny młodej... Chuj, nie rozczulam się nad sobą – tłumaczę jedynie, dlaczego Bożenka pewnie w ogóle o mnie nie pamięta. Jakby pamiętała, toby raz na rok przyjechała tutaj, do zakładu karnego, albo przynajmniej przysłała jakiś pieprzony list. A ona milczy. Podobno nie ma jej w Polsce – chajtnęła się z jakimś Niemcem i mieszka z nim gdzieś w Reichu. Pod francuską granicą, daleko stąd. Ma dzieciaka, dziewczynkę. Tyle o niej.

Matka bała się ojczyma, bez dwóch zdań. On był bardzo dumny ze swojego imienia, a ja się pytam: kto daje dziecku takie imię? I na cholerę? Kiedy się przedstawiał, celebrował to tak, jakby naprawdę miał się czym pochwalić. Jestem Izydor Iksiński, kurwa, najpiękniejszy mężczyzna w Pyskowicach i okolicach. Nie ma takiej, co się za mną nie obejrzy, a jak już się obejrzy, to się zamienia w słup soli. Albo w hałdę węgla... Jak sobie o nim przypominam, to robi mi się niedobrze. Generalnie miałem takie życie, że się uodporniłem na wszystko – nic mnie nie rusza, nic nie wkurwia, nigdy nie płaczę. Ale jak słyszę imię Izydor – i wcale nie musi chodzić o tego chuja – to czuję, że krew się zaczyna we mnie gotować i jestem w stanie zrobić coś nieobliczalnego. Bo ja dużo złych rzeczy zrobiłem, ale wszystkie świadomie i czasami nawet z przyjemnością. A wspomnienie ojczyma powoduje, że przestaję być jak lód. I za to też go nienawidzę.

Kiedy urodziła się Bożenka, czyli jego własne dziecko – i na szczęście ostatnie, bo po co rozrzucać po świecie tak kiepskie geny? – to ja od razu poszedłem w kąt. To, że Izydor zlewał mnie jeszcze bardziej niż dotychczas, nie dziwiło mnie wcale. Ostatecznie nigdy nie miałem wątpliwości, że traktował mnie jak zło konieczne, jako wypadek przy pracy swojej małżonki. Skumałem to już jako mały chłopak, zresztą ojczym nie robił mi w tym względzie żadnych iluzji – napierdalał mnie pasem i czasem, choć niby w żartach, nazywał znajdą. Matka nigdy nie stawała w mojej obronie, bo chroniąc mnie, ryzykowałaby coś bardzo wielkiego – utratę miłości pięknego Izydora. A tak nie traciła nic, bo chyba nie przychodziło jej do biednej łepetyny, że coś takiego jak miłość ze strony syna też nie jest dana raz na zawsze. Zresztą ja nie byłem od tego, żeby ją kochać, tylko żeby dać jej spokój.

A jak już na świecie pojawiła się Bożenka, to tylko ona się dla obojga liczyła, a ja byłem trochę jak mebel, który do niczego nie służy i już nie pasuje do nowego wystroju mieszkania...

Myślisz, że jestem niesprawiedliwy? Myślisz, że matka w gruncie rzeczy mnie kochała, tylko nie umiała tego okazać? Albo umiała, ale brakowało jej czasu?

Nie rozśmieszaj mnie – olała mnie, bo tak jej było wygodniej. I powiem ci: gdyby nie to, pewnie dziś nie odwiedzałbyś mnie w puszce. Byłbym kimś zupełnie innym, może nawet jakąś szychą w Pyskowicach! Albo i jeszcze lepiej! Nie miałbym wyroku za te głowy, które posłałem do piachu, i uczyłbym swoje dzieci, jak żyć.

Nie, nie mam dzieci...

Jeśli cośkolwiek zawdzięczam Izydorowi, to pomysł, żebym się zgłosił na lektora w kościele. No, tego, co podczas mszy czyta Słowo Boże – lekcje z Pisma Świętego, listy świętego Pawła i takie tam...

Lektorem nie zostaje się ot tak, z marszu, a przynajmniej nie u nas w kościele. Proboszcz powiedział, że ma wielu chętnych i że oni są bardziej, jak to ujął, predestynowani do tej roli. Bo ja to jestem łobuz i na pewno nie modlę się co wieczór, a jak się modlę, to po łebkach i nie odczuwam żadnej łączności z Bogiem. A kto, kurwa, odczuwa? No, może papież albo jakiś prawdziwy święty, ale nie nastoletni chłopak, który wolałby pograć w piłkę, zamiast chodzić na mszę.

No, ale w końcu zostałem zaakceptowany i nie wykluczam, że dzięki naciskom ze strony ojczyma.

Kiedy ksiądz mi powiedział, że mam go wspierać w dziele apostolstwa, zatkało mnie. Co takiego? Mam być pomagierem apostoła? – pomyślałem, ale pokiwałem głową i wyraziłem pełną gotowość do współpracy.

Powiem ci, że całkiem mi się ta robota spodobała. To znaczy czytanie Pisma Świętego, a nie wspieranie dzieła apostolskiego, bo tu akurat nie wiedziałem, o co biega.

Fajnie, jak tak sobie czytasz, a ludzie gapią się na ciebie z powagą, zupełnie jakby gapili się na ołtarz. Bo poza kościołem byłem zwykłym wypierdkiem, którego każdy może wytargać za ucho czy zjebać jak burą sukę, ale w czasie mszy byłem równy księdzu. Czyli prawie równy Bogu.

I ta świadomość bardzo mnie podkręcała. Nieraz przychodziło mi do głowy, że fajnie byłoby zostać Bogiem...

Patrzyli na mnie jak na święty obrazek. Pamiętam, że jak już nauczyłem się zabijać z zimną krwią, moje ofiary też patrzyły na mnie tak jak wierni w kościele. Z tą różnicą, że widziały diabła...

A jaka to niby różnica?

ROZDZIAŁ 3

*Najgorsza była szkoła*

Najgorsza była szkoła... Jeszcze gorsza od domu. A właściwie jedno i drugie to totalny syf, tyle że w innych kategoriach. W domu byłem nikim, Izydor mógł ze mną zrobić, co mu się podobało, ale przeważnie oprócz dość przykrych kar za byle jakie przewinienia i traktowania mnie jak powietrze nic strasznego się nie działo. Nie było złośliwości, jedynie pogarda; dawanie mi do zrozumienia, że wszystko, co mam, zawdzięczam temu, że się nade mną zlitował i nie wykopał mnie na ulicę jak psa. A przecież mógł, matka nie kiwnęłaby palcem. Może jestem niesprawiedliwy, może by jednak kiwnęła, ale tego już raczej nigdy się nie dowiem. I w sumie mi to wisi, być może ostatecznie sam się wystawiłem, sam się wykopałem na ulicę. No, ale nie uprzedzajmy faktów.

Prawdę mówiąc, wcześniej też znikałem z domu, tyle że nigdy na dłużej. Noc, góra dwie noce... Nie wracałem ze szkoły, wsiadałem do autobusu i gdzieś jechałem – żaden wielki gigant, powiedzmy, do Gliwic i tam się szwendałem bez celu i sensu.

Kiedy zjawiałem się wieczorem w domu, Izydor już czekał na mnie z nagrodą – nie był oryginalny: albo z pasem w ręku, albo z zaciśniętą pięścią. Czasem pytał: „Gdzie byłeś, mały skurwielu?", kiedy indziej od razu przechodził do rzeczy.

Potem darł się, że matka wypłakiwała oczy, rozpaczała, była bliska obłędu, a ja wiedziałem, że nawet nie zauważyła mojej nieobecności.

Darł się, żeby uzasadnić ostry wpierdol. Muszę jednak przyznać, że śladów nie zostawiał – bolało jak diabli, ale nikt by się nie zorientował. Kiedyś, jeszcze w latach sześćdziesiątych, pracował w milicji, to pewnie tam go nauczyli tak bić.

Wróćmy do szkoły. Dlaczego była najgorsza? Gdyby traktowano mnie tam jak powietrze, gdyby okazywano mi taki sam brak zainteresowania jak w domu, wszystko byłoby w miarę OK. Dom mnie zahartował i nauczył żyć w samotności – pragnąłem tylko, żeby nikt niczego ode mnie nie chciał. Wolałem pogrążać się we własnych myślach, niż odpowiadać na czyjeś durne pytania.

Już wtedy najchętniej pozbyłbym się wszystkich ludzi i żył w totalnej samotności. Zdarzało mi się marzyć, że trafiam na pustynię, taką jaką widziałem w filmie *Lawrence z Arabii*, a wokół nie ma żywej duszy. Albo jeszcze lepiej: nie ma żywej duszy, ale widzę trupy leżące na piasku i kamieniach. I mam nad nimi tę przewagę, że jak mi się zachce, to mogę do nich mówić, mogę wyzywać od frajerów, mogę je nawet skopać, a one nie mogą już niczego.

Ale nie pomyśl sobie, że ja jestem jakimś zwyrodnialcem – wolałbym, żeby na tej pustyni nie było zupełnie nikogo, nawet tych trupów. No, ale gdyby jakimś cudem były...

W szkole, niestety, okazywano mi bardzo duże zainteresowanie – jak w stadzie drapieżników: wybiera się najsłabszego osobnika i go zagryza. W środowisku ludzi to wygląda trochę inaczej: wybiera się najsłabszego, a przynajmniej – pozornie najsłabszego, i się go dojeżdża. Dręczy się go do momentu, w którym gość albo się wybuja, albo się potnie, albo spierdoli gdzie pieprz rośnie. W każdym razie nie ma ani jednej osoby, która by stanęła po jego stronie – stado jest solidarne, szczególnie gdy chodzi o wykończenie tego najsłabszego. I stado się znęca, wyszukując najbardziej wyrafinowane techniki dręczenia.

To, że dzieci są brutalne, to stara prawda – rozumiem to i z dzisiejszego punktu widzenia nawet im jakoś wybaczam. Ale najgorsze jest to, że wszystko się działo nie tylko za wiedzą, ale i z przyzwoleniem nauczycieli. Oni pogardzali mną tak samo jak uczniowie i bardzo chętnie mi to okazywali. Rzeczywiście byłem kiepskim uczniem i nie zasługiwałem na dobre stopnie, ale żaden nauczyciel nie próbował się zastanowić dlaczego. Może to sytuacja w domu sprawiała, że nie miałem ochoty zajmować się nauką? Może nie odrabiałem lekcji, bo akurat Izydor dopatrzył się w moim zachowaniu jakichś błędów i pasem postanowił nauczyć mnie rozumu? Może jak zabierałem się do książek, to on stał gdzieś z tyłu i się zastanawiał: „Pierdolnąć mu czy jeszcze darować?".

A nauczyciele mieli jakąś osobliwą radochę, wywołując mnie do tablicy i udowadniając po raz tysięczny, że jestem nieprzygotowany do lekcji. To nie było motywowanie do nauki – to było poniżanie przed całą klasą.

Igrzyska, dzięki którym nauczyciele zdobywali uznanie w oczach młodzieży.

I nie wystarczyło postawić mi dwójki – bo wtedy były dwójki, a nie jedynki – tylko jeszcze trzeba było robić ze mnie małpę w klatce i podkreślać, jaki to jestem śmieszny i mało ambitny. W sumie nic niewart.

Jednak to nie wszystko. Ja wiem, że za komuny generalnie wszyscy klepali biedę, ale byli biedni i biedniejsi. Moim rodzicom – czy jak ich, kurwa, nazwać? – nie powodziło się najgorzej, co nie znaczy, że ja też na tym korzystałem. Nosiłem ciągle te same stare ubrania i choć rosłem, matka rzadko kupowała mi coś nowego. Ostatecznie, póki byłem w stanie wciągnąć portki na dupę, to komu to przeszkadzało, że sięgały powyżej kostek? Gdyby chociaż matka cerowała dziury w swetrach... Przecież mogłem ich sobie nie wygryzać, no nie?

I wszyscy wokół widzieli, jaki jestem zabawny w tym starym, za małym ubraniu, wiedzieli, że nie mam niczego, czym mógłbym się pochwalić, ani też nie da się ze mną porozmawiać o czymś ciekawszym. Byłem do dupy, bo wszyscy chcieli, żebym był do dupy. Na moim tle każdy wyglądał na supermana. A dla chłopaków to się liczyło – oznaczało większe szanse u dziewczyn. Wystarczyło, że jeden z drugim strzelił mnie z liścia w głowę, obraził przy wszystkich, i panienka już robiła się mokra. Ale fajny gość, bezkompromisowy...

Wiesz, takie rzeczy działy się w ósmej klasie – wtedy to już wszyscy myśleli o seksie; i chłopaki, i dziewczyny. Nie mówię, że się gzili, ale na pewno ciągle im się to śniło. Pracowali na ten swój pierwszy raz.

Moim, kurwa, kosztem...

ROZDZIAŁ 4

*To był przypadek*

To był przypadek, ja tego nie planowałem... W ogóle nie sądziłem, że byłbym w stanie to zrobić. Impuls, chwilowy brak samokontroli, furia... I po wszystkim. Miał na imię Grzesiek. Wyjątkowo perfidna kreatura – lubił udawać jedyną osobę w klasie, która stoi po mojej stronie, a przynajmniej nie jest wrogiem tak jak pozostali, ale zawsze w końcu dołączał do tych, którzy ze mnie szydzili, i wtedy dawał z siebie wszystko. A ja, choć doskonale wiedziałem, że to najgorsza menda, zawsze się nabierałem. Chyba marzyłem o tym, by ktoś okazał mi choć trochę solidarności, choćby ostatni skurwysyn, i wciąż wierzyłem, że tym razem Grzesiek mnie nie opuści.

Tymczasem on prowokował innych, aby na mnie najeżdżali, przez jakiś czas stał z boku, rozkoszując się swoją przebiegłością i talentem manipulatora, a potem wkraczał do akcji. I jechał po mnie jak po łysej kobyle.

Potem mijało kilka dni, Grzesiek znów był sympatycznym kolegą, czasem nawet włóczył się ze mną po mieście, opowiadał o swoich planach ucieczki z Polski na Zachód, a ja i wybaczałem mu jego skurwysyństwo.

Ale kiedy wyczuł, że straciłem czujność, znów zaczynał knuć. I tak w kółko.

To było w ósmej klasie, na wiosnę – w szkole już niewiele się działo, oceny były praktycznie wystawione, więc większość z nas chodziła na wagary. Mieliśmy po piętnaście lat. Jezu, kiedy te lata przeleciały?

Tamtego dnia poszliśmy z Grześkiem za miasto – w polu stały takie olbrzymie maszty energetyczne. Oczywiście nie wolno się było do nich zbliżać, chyba nawet je ogrodzono, ale myśmy się po nich wspinali, i to na całkiem duże wysokości. A komu by się chciało ganiać za nami?

Jak już się weszło na wysokość, powiedzmy, czwartego piętra, to widok naprawdę robił wrażenie! Ja wiem, że to niebezpieczne, ale wtedy byłem bardzo młody i nie martwiłem się, że mogę z tej wspinaczki nie wrócić. Zresztą, było mi wszystko jedno – życie w domu z Izydorem nie różniło się od łażenia po maszcie. A jeśli się różniło, to na korzyść masztu.

Grzesiek bardzo lubił ten sport i owego dnia, pamiętam, że był wtorek, poszliśmy razem za miasto. Wspięliśmy się naprawdę wysoko i podziwialiśmy panoramę. Głównie inne maszty, kominy fabryk i kopalniane szyby. Jak to na Śląsku.

Gdyby mój kolega zachował zdrowy rozsądek, nic by się nie stało. Bo wyzywanie mnie na terenie szkoły nie groziło mu niczym strasznym – ja nawet nie umiałem dobrze uderzyć w twarz. Chociaż byłem, i jestem do dzisiaj, bardzo silny. Chcesz się spróbować na rękę? Nie? Masz rację, po co prowokować gadów... No, klawiszy. Strażników tego hotelu.

No więc wyzywanie w szkole niczym mu nie groziło, ale upokarzanie mnie na sporej wysokości, bez żadnej asekuracji – przecież nie miał spadochronu – to było igranie z ogniem.

Zaczęło się dość niewinnie – obciął mnie od góry do dołu i pyta:

– A ty znowu w tych starych gaciach?

A ja mu na to:

– Przecież na maszt nie będę się stroił.

Odpowiedział:

– Nie pierdol, nie masz innych gaci, ciągle łazisz w jednych.

No to ja mu na to:

– A gówno cię to obchodzi! Mam albo nie mam, to nie twoja sprawa.

A on, niby z troską, ale wiadomo, że z szyderstwem w głosie:

– Takiego, co lata w jednych portkach, to żadna nie będzie chciała. Bo co, do ślubu tak pójdziesz, jak jakiś łachmaniarz?

– Może mnie dziewczyny nie obchodzą. – Wzruszyłem ramionami, ale czułem, że krew zaczyna mi uderzać do twarzy.

– Dziewczyny cię nie obchodzą? Czyli co, jesteś cwelem? – zapytał i zaczął rechotać. A ja tego rechotu szczególnie nie znosiłem, bo przypominał mi wyśmiewanie przez całą klasę. On wtedy zawsze rżał najgłośniej.

Nie wiedziałem, co mu na to odpowiedzieć, ale on gadał jak nakręcony:

– Nawet sobie kochasia nie przygadasz, bo pedały też nie lubią smrodu, a od twoich gaci pewnie strasznie capi. Capi, kurwa, czuję, jak capi.

Ostentacyjnie wciągnął powietrze, po czym wywalił z obrzydzeniem język i jedną ręką złapał się za nos.

Już ci mówiłem, to był impuls. Ja tego nie planowałem, to stało się samo. Poza moją wolą. Popchnąłem go, chyba z całej siły – jako że trzymał się stalowej konstrukcji jedną ręką, bo drugą miał przy nosie, z łatwością odkleił się od masztu. Zupełnie jakbym pstryknął w kapsel. Poleciał.

Do dziś się zastanawiam, czy rzeczywiście słyszałem jego krzyk, czy tylko tak mi się zdawało.

Na pewno nie było słychać, jak uderzył w ziemię. Przez chwilę patrzyłem z góry na jego nieruchome ciało i wiedziałem, że lekarz tu już nic nie pomoże. Najpierw zrobiło mi się potwornie zimno, a potem oblał mnie pot. Szybko zszedłem i nie patrząc na martwego Grześka, pobiegłem w stronę domu. Nie miałem pojęcia, jak się w takiej sytuacji zachować – dla mnie liczyło się tylko jedno: czy nikt nie widział tego zdarzenia.

Okolica była pusta, wydawało mi się, że w promieniu kilku kilometrów nie ma żywej duszy. Wszystko wskazywało na to, że moje pierwsze zabójstwo będzie bezkarne. Zresztą do dziś nie uważam tego za zabójstwo – Grzesiek sam się zabił, a ja byłem jego pistoletem. Nacisnął spust i wtedy broń wypaliła.

Przez moment rozważałem, czy nie zgłosić tego na milicji – przecież powiedziałbym, że spadł sam, potknął się, zasłabł. Może by nawet uwierzyli. Byłoby po sprawie. Ale gdyby zaczęli węszyć?

Gdyby przycisnęli mnie mocniej, mógłbym nie wytrzymać presji i się rozpruć. Nie miałem wtedy żadnego doświadczenia w takich sytuacjach – dziś wiem, jak się zachować w czasie przesłuchania. No ale dziś to dziś, a wczoraj to wczoraj.

Dlatego odpuściłem sobie i łaziłem po mieście.

Do domu wróciłem przed północą. W ogóle nie czułem uderzeń Izydora – głowę miałem zajętą czym innym i chyba nawet głupio się uśmiechałem, patrząc na mojego ojczyma oprawcę. W końcu przestał bić – może przeszło mu przez myśl, że zwariowałem. Poszedł spać, pewnie nawet nie wydymał mojej matki.

A ja spać nie mogłem. Bardzo byłem ciekaw, jak to się wszystko dalej potoczy, ale nie czułem strachu. Z jednej strony wierzyłem, że w okolicach masztu nie było żadnego świadka, a z drugiej – postanowiłem, że jeśli jednak przyjdzie po mnie milicja, to ucieknę i rozpłynę się w sinej mgle.

## ROZDZIAŁ 5

*Podszedłem do ambonki,
odchrząknąłem i zacząłem czytać*

Podszedłem do ambonki, odchrząknąłem i zacząłem czytać:

„Bracia! Nikt zaś z nas nie żyje dla siebie i nikt nie umiera dla siebie: jeżeli bowiem żyjemy, żyjemy dla Pana; jeżeli zaś umieramy, umieramy dla Pana. I w życiu więc, i w śmierci należymy do Pana. Po to bowiem Chrystus umarł i powrócił do życia, by zapanować tak nad umarłymi, jak nad żywymi".

Głos mi nie zadrżał – starałem się wypaść jak najlepiej, stosownie do szczególnych okoliczności. Tylko raz zrobiłem króciutką przerwę, taką na kilka sekund, aby spojrzeć na wiernych – patrzyli na mnie, jakby oczekiwali, że powiem im coś, czego do tej pory nie wiedzieli, a co wyjaśni wszystkie tajemnice życia i śmierci. A potem rzuciłem okiem na trumnę – jasną, prostą, dębową. W środku leżała moja pierwsza ofiara. O wieko oparty był duży wieniec z kalii – pamiętam, że na szarfie było napisane „Kochający Rodzice". Ojciec Grześka też patrzył na mnie, a jego matka miała twarz ukrytą w dłoniach.

Przez chwilę nawet wyobraziłem sobie, że z trumny spada wieko i widzę śpiącego wiecznym snem Grześka ubranego w jasny garnitur. Nie mam pojęcia, jak go wystroili do trumny, ale tak to sobie wyobraziłem. Przez ciało przebiegł mi dreszcz, ale zebrałem się do kupy i dokończyłem List Świętego Pawła Apostoła do Rzymian.

Pytasz, co wtedy czułem? Nic specjalnego, może coś w rodzaju ulgi, że moja ofiara zaraz znajdzie się głęboko pod ziemią, a mnie się upiecze. A nawet byłem dumny, że odgrywam ważną rolę podczas ceremonii pogrzebowej.

Milicja przesłuchała mnie już następnego dnia po zdarzeniu, oczywiście nie tylko mnie, bo ktoś im chlapnął, że tego dnia wybierałem się z Grześkiem na wspinaczkę po maszcie. Potwierdziłem, że mieliśmy takie plany, towarzyszyłem mu w drodze za miasto, tym bardziej że robiliśmy to już wcześniej. W pewnym momencie jednak zrezygnowałem, bo uznałem, że to niebezpieczne. No i bałem się gniewu ojczyma, gdyby dowiedział się o tej wyprawie. Ja wróciłem do miasta, a Grzesiek poszedł po samotną śmierć.

To, że głupi chłopak sam spierdolił się z wysokości i że nikt mu w tym nie pomagał, brzmiało bardzo wiarygodnie. Był to tak samo realny scenariusz, jak gdyby bezpiecznie zszedł na ziemię. Jak wchodzisz na maszt bez żadnego zabezpieczenia, to jest to rosyjska ruletka – mój kolega miał po prostu pecha.

A ja byłem trochę rozsądniejszy, dlatego żyję, ale jest mi cholernie przykro, że stało się to, co się stało, i teraz będą miał nauczkę na całe życie. Nigdy już nie wejdę na maszt ani nie zrobię czegoś równie głupiego.

Na ciele denata nie było żadnych śladów walki czy udziału osób trzecich – po prostu poślizgnął się albo zasłabł i poleciał w dół.

Taki scenariusz pasował wszystkim – i milicji, która mogła zamknąć śledztwo, i rodzicom Grześka, którzy przecież nie chcieliby się dowiedzieć, że ich syn został zamordowany.

Najbardziej zadowolony byłem ja – wszystko wskazywało na to, że popełniłem zbrodnię doskonałą, mszcząc się na swoim prześladowcy okrutnie, ale sprawiedliwie.

Wtedy ludzie naprawdę bali się milicji – to był 1983 rok, tuż po odwołaniu stanu wojennego. Tak naprawdę rzeczywistość niewiele się różniła od tej podczas wojny Jaruzelskiego. Może po ulicach nie jeździły SKOT-y, ale wciąż czuło się w powietrzu wszechogarniający strach. Jednak, wbrew pozorom, to była dla mnie bardzo dobra okoliczność – władza miała na głowie inne problemy niż śmierć jakiegoś dzieciaka. Milicja szukała tych z Solidarności i wszystko inne miała głęboko gdzieś. Gdyby zachodziło podejrzenie, że rozrzucam ulotki, wtedy pewnie trafiłbym na dołek i szybko by mnie z niego nie wypuścili. Ale ja tylko szedłem przez pole z jakimś głupkiem, który wlazł na maszt energetyczny i się z niego spieprzył... Co tu drążyć?

Dlatego przesłuchanie trwało bardzo krótko.

Nie, to nie jest tak, że wszystko spłynęło po mnie jak woda po kaczce – po prostu w najtrudniejszym momencie, czyli przez pierwsze tygodnie, udawało mi się jakoś wypierać winę i nie oskarżać się za to, co się wydarzyło. No bo przecież najbardziej winny tej śmierci był sam Grzesiek...

Ale sądzę, że ten pierwszy raz naznaczył mnie na resztę życia.

Wtedy jednak miałem jeszcze nadzieję, że wszystko wróci do normy: skończę szkołę, pójdę do technikum górniczego, może nawet dostanę się na studia. No i że Bóg puści mi to zabójstwo w niepamięć – ostatecznie byłem jeszcze dzieckiem...

Niestety... Los miał wobec mnie zupełnie inne plany.

Tuż po rozdaniu świadectw poszliśmy z kolegami z klasy na piwo – niby małolatom nie sprzedawano alkoholu, ale jakiś starszy gość ulitował się i kupił nam, oczywiście za nasze pieniądze, po dwie flaszki browaru.

Nawet się zdziwiłem, że koledzy z klasy zaproponowali mi udział w tej imprezie pod gołym niebem – ostatecznie zawsze okazywali mi niechęć – ale z przyjemnością z nimi poszedłem.

Popijawa trwała około dwóch godzin, zupełnie nie pamiętam, o czym rozmawialiśmy, pewnie o tym, kto zostanie górnikiem, a kto wyjedzie do Niemiec. Po wszystkim przybiliśmy sobie piątki i rozeszliśmy się, każdy w swoją stronę.

Ruszyłem w kierunku domu, gdy nagle usłyszałem:

– Poczekaj, mam do ciebie sprawę.

Obejrzałem się za siebie: to mówił Irek, gość, który trzymał się dość blisko z Grześkiem, choć nie byli przyjaciółmi.

– O co chodzi? – zapytałem zdziwiony, że ktoś chce czegoś ode mnie.

– O tamten wypadek...

– Mówisz o śmierci Grześka? – spytałem i poczułem zalewającą mnie falę gorąca. – Nie ma o czym gadać – dodałem i wzruszyłem ramionami.

– Może nie ma, a może jest – odparł tajemniczym głosem. Wyglądał na bardzo zadowolonego, zupełnie jak pokerzysta, który trzyma w ręku karetę asów.

– Mów, bo się spieszę...

– Nigdzie się nie spieszysz, a nawet jeśli, to jednak radzę ci posłuchać. Widziałem was wtedy na maszcie.

– Co ty pierdolisz? Jak mogłeś nas widzieć, skoro mnie tam nie było? Widziałeś samego Grześka.

Uśmiechnął się i odparł po chwili milczenia:

– Ja nie mam halucynacji. Mieliśmy tam być we trzech. – Grzesiek mówił, że wybieracie się na maszt i że mogę do was dołączyć. Trochę się spóźniłem, ale nie na tyle, żeby nie zobaczyć, co się stało. Zepchnąłeś go, nie pierdol, że było inaczej.

– Masz jakichś świadków? – spytałem, próbując grać twardziela.

– Frajerze, to ja jestem świadkiem i jak pójdę do glin, to chętnie mnie wysłuchają.

– Dlaczego mają ci wierzyć? Równie dobrze możesz powiedzieć, że widziałeś z nami Ducha Świętego i to on zepchnął Grześka. Możesz powiedzieć wszystko, ale to nie znaczy, że milicja ci uwierzy.

– Nie mówię, że uwierzy, ale na pewno to sprawdzi – powiedział. – A oni już umieją przycisnąć. Chcesz się przekonać? Myślisz, że taki z ciebie cwaniak?

Uznałem, że właśnie nadszedł czas na najważniejsze pytanie:

– Czego chcesz?

– Pięćset tysięcy złotych.

To nie była jakaś wygórowana suma, powiedzmy, trzy średnie krajowe, ale ja przecież nie miałem ani złotówki. Jedyne, co mogłem mu dać, to obietnicę i trochę ją uwiarygodnić.

– Dobrze, ale nie mam takiej sumy w całości. Dam ci to w kilku ratach – zapewniłem.

On zaczął się śmiać i mówić, że próbuję go oszukać, a ja mu na to, że nic bym na tym nie zyskał. Po prostu muszę podpierdolić te pieniądze ojczymowi, a tego nie da się zrobić z dnia na dzień. Ale nazajutrz przyniosę mu sto tysięcy, to też nie jest w kij dmuchał.

W końcu się zgodził. Ja na jego miejscu też bym się zgodził. No, ale nie umówiłbym się późnym wieczorem w pobliżu dworca kolejowego. Przekonałem go jednak, że po forsę muszę pojechać pociągiem, bo stary trzyma swoje oszczędności u siostry w Gliwicach. Nic mi nie wiadomo o żadnej siostrze Izydora mieszkającej w Gliwicach, ale jakie to miało znaczenie? Ważne, żeby Irek uznał tę wersję za wiarygodną. Zaproponowałem, że pieniądze dam mu od razu, po co czekać do następnego dnia?

Był bardzo najarany na te sto kafli. Wprawdzie odgrywał cynicznego szantażystę, takiego z amerykańskiego filmu, ale prawda jest taka, że był takim samym dzieciakiem jak ja. Kiedy zamigotała mu przed oczami perspektywa dużej kasy, od razu stracił instynkt samozachowawczy. On był kiepskim szantażystą, a ja chyba lepszym – i już trochę doświadczonym – zabójcą.

A potem zachowywał się dokładnie tak, jak od niego oczekiwałem – mieszkał w innej części miasta, więc musiał przejść przez tory. I rzeczywiście, na dziesięć minut przed umówionym spotkaniem pojawił się przed przejazdem. Tam czekałem na niego – szybciutko zaszedłem go od tyłu, uderzyłem w głowę młotkiem, potem, gdy upadł, kilka razy poprawiłem i uciekłem. Leżał zakrwawiony na torach, ale nikt tego nie widział. Nawet nie wiem, czy go zabiłem. Pewnie tak. Może rozjechał go pociąg...

To mnie wtedy zupełnie nie obchodziło – wiedziałem jedno: nie mogę zostać w Pyskowicach. Muszę znaleźć się jak najdalej stąd. To był mój cały plan.

Za co będę żył, za co uciekał?

Nie miałem zielonego pojęcia. Wiedziałem tylko, że chcę żyć. I być wolny.

ROZDZIAŁ 6

*Pobiegłem do domu*

Pobiegłem do domu. Przecież musiałem się jakoś przygotować do tej „wycieczki". Nie miałem przy sobie ani grosza, żadnego ubrania na zmianę. Niczego, co mogłoby się przydać na dłuższym gigancie.

Bałem się, że Izydor zacznie mnie wypytywać, gdzie byłem, co robiłem, a być może nawet wyczuje, że piłem alkohol. Ale okazało się, że mam szczęście. Nawiasem mówiąc, szczęście nie opuszczało mnie przez kolejne lata – może ktoś tam, na górze, uznał, że jednak nie jestem taki zły i trzeba dać mi szansę. Ale nie pytaj mnie, czy wierzę w Boga, czy wtedy w niego wierzyłem – nigdy się nad tym nie zastanawiałem; nie miałem na to czasu. Uciekałem, a w takich chwilach nie rozmyśla się o sile wyższej. Zdarzało mi się modlić – jako kościelny lektor znałem sporo modlitw, pamiętałem wiele tekstów z Pisma Świętego, które czytałem. Ale to nigdy nie była modlitwa z wiary, raczej z nudy. Jak jedziesz nocnym pociągiem, sam w przedziale, a nie masz na czym oka zawiesić, to zaczynasz robić różne dziwne rzeczy. Na przykład się modlić.

Ale wróćmy do tamtego wieczoru – kiedy wszedłem do mieszkania, okazało się, że wszyscy śpią. Matka i Bożenka na jednym łóżku, a Izydor na drugim – miał na sobie marynarkę i koszulę, ale był bez spodni. Szybko zrozumiałem, co jest grane – popił z kolegami, wrócił do domu wężykiem, zdołał jeszcze bzyknąć moją matkę – albo i nie zdołał, tylko próbował – po czym zwalił się na łóżko i zasnął.

Spodnie leżały na podłodze, a z kieszeni wystawał portfel – czy los mógł być dla mnie łaskawszy?

Uważam, że nie okradłem ojczyma, tylko pobrałem sobie kieszonkowe – jedynie kilka banknotów. Zresztą on nigdy groszem nie śmierdział, więc za wiele tego nie było. Poza tym – możesz się śmiać lub nie – wiedziałem, że jeśli zabiorę wszystko, moja rodzina będzie miała duży problem.

Taki był ze mnie porządny chłopak!

Szybko wrzuciłem do torby kilka ubrań i ostry nóż do mięsa – tak na wszelki wypadek. Byłem gotów do drogi, przynajmniej w moim mniemaniu. A rodzina pogrążona w głębokim śnie nie miała pojęcia, co się dzieje.

Gdy wychodziłem z mieszkania, przyszedł mi do głowy pewien pomysł – muszę przygotować mistyfikację, która zmyli milicjantów. Jakieś sto metrów od domu, za śmietnikiem, żeby nikt mnie nie zobaczył, wyjąłem starą wiatrówkę, lekko ją naddarłem, po czym naciąłem nożem udo – kilka kropli krwi, które popłynęły, wystarczyło, żeby poplamić wiatrówkę.

Mój pomysł był następujący: ktoś w Pyskowicach morduje młodych chłopaków. Najpierw zginął Grzesiek, potem Irek, a teraz ja zostałem uprowadzony. Na pewno porywacz wywiózł mnie w jakąś głuszę i zabił. Nie dla pieniędzy – dla przyjemności. Tak zwany seryjny morderca, zupełnie jak ten Marchwicki z Sosnowca.

Walczyłem z nim, podarł mi kurtkę, może dźgnął mnie nożem...

Nie sądziłem, że milicja jest naiwna, ale byłem pewien, że taką wersję na pewno wezmą pod uwagę. A ja już wtedy stanę się nieuchwytny.

Do Gliwic dotarłem na piechotę. To trochę ponad dziesięć kilometrów, więc droga zajęła mi jakieś dwie godziny, ale czułem się bezpieczniej, idąc. Uważałem, że muszę unikać ludzi, gdy tylko jest to możliwe. Z Gliwic pojechałem autobusem do Katowic. Poszedłem na dworzec kolejowy i zacząłem wpatrywać się w rozkład jazdy.

I wtedy poczułem taką wolność, jakbym fruwał między galaktykami – Szczecin, Wrocław, Warszawa, Lublin, upajałem się nazwami miast, do których mogłem dotrzeć bez żadnego problemu. Wystarczyło kupić bilet, a ja przecież miałem pieniądze. Nic już mnie nie krępowało, nie trzymało w jednym miejscu – nagle stałem się panem własnego życia i mogłem robić to, na co miałem ochotę. Nawet jeśli była to złudna wolność, w tamtym momencie poczułem się szczęśliwy.

Jednak to upojenie nie trwało długo – zawsze trzymałem się ziemi i zacząłem kalkulować. Postanowiłem, że pojadę w daleką podróż, żeby wyspać się po drodze. A jak już dotrę na miejsce, spróbuję zdobyć albo coś do jedzenia, albo pieniądze. Wprawdzie dzięki „kieszonkowemu" od Izydora mogłem przez kilka dni nie martwić się o środki na przeżycie, ale chciałem jak najszybciej nauczyć się samodzielności. Moje nowe życie wymagało odpowiedzi na wiele pytań, lecz najpierw postanowiłem oczyścić umysł i nie zadręczać się wątpliwościami.

Ostatecznie zdecydowałem się na nocny pociąg do Gdyni – podróż trwała dziesięć godzin, a więc wystarczająco długo, żeby i pospać, i pomyśleć.

Nigdy wcześniej nie byłem w Gdyni, nie miałem pojęcia, co to za miasto i dokąd pójdę, jak już dojadę. Wiedziałem tylko, że tam jest morze...

Jednak nie martwiłem się tym – byłem pewien, że zdobywanie pieniędzy przyjdzie mi z łatwością.

Wprawdzie nie umiałem kraść, ale wierzyłem, że to nie może być bardzo trudna sztuka, a poza tym w torbie miałem ostry nóż.

Izydor naostrzył, bo następnego dnia matka miała robić roladę. A wołowinę trzeba dobrze pokroić.

ROZDZIAŁ 7

*Nic wielkiego się nie wydarzyło*

Nic wielkiego się nie wydarzyło. Siedziałem w przedziale obok pasażerów, którzy w ogóle się mną nie interesowali, nikt nawet do mnie nie zagadał. Jedynie jakaś starsza babka poprosiła, żebym jej pomógł położyć walizkę na półkę. Potem usiadła, wyjęła kiełbasę i zaczęła wpierdzielać. Nawet mnie nie spytała, czy przypadkiem nie jestem głodny. Już dla niej nie istniałem. A byłem, nawet mi burczało w brzuchu, ale przecież nie zamierzałem prosić jej o żarcie.

Udało mi się kilka razy kimnąć. Wprawdzie ciągle się budziłem, a wtedy widziałem wokół siebie nowe twarze, lecz w sumie rano byłem całkiem świeży.

Co prawda miałem bilet do Gdyni, ale wysiadłem w Gdańsku. Nie wiem dlaczego. Tak jakoś mi się wydawało, że Gdańsk to wielki świat i na pewno coś tam dla siebie znajdę. Oczywiście nie wiedziałem, czego szukam; czułem, że cokolwiek to jest, może być w tym mieście.

Wysiadłem na dworcu Gdańsk Główny i ruszyłem przed siebie – mój wzrok przykuł jakiś długi szary budynek. To był hotel Monopol; w tamtym czasie szczyt elegancji. Wtedy jeszcze o tym nie wiedziałem. Wszedłem do środka, by zobaczyć rzeczywistość, z jaką nigdy wcześniej nie miałem do czynienia. Przeszedłem przez hall, nie zwracając niczyjej uwagi, recepcjonista był zajęty konwersowaniem z jakimś skośnookim, i skierowałem się do barku – ależ tam było pięknie! Kobiety jak z folderów reklamowych, palące długie brązowe cygaretki, i szykowni faceci, tacy w czarnych skórzanych kurtkach, ze złotem na szyi. Pili piwo z wysokich szklanek i śmiali się na cały głos.

W pewnym momencie z fotela wstała jedna z tych ślicznotek i głośno rzuciła, że ma ciśnienie na pęcherz i musi iść do kibla. A wtedy facet, który siedział obok, chwycił ją dłonią za pośladki i powiedział: „Jakbyś, Rita, tyle nie piła, tobyś ciągle nie latała do sracza".

Kompanów faceta bardzo rozbawiła ta odpowiedź. Kobieta też się uśmiechnęła, po czym krzyknęła: „A ty, Nikodem, jakbyś tyle nie pił, to byłbyś sprawniejszy". I puściła do niego oko. Tak jakby chciała mu zasugerować, że alkohol kiepsko wpływa na jego męskość. Gdy wróciła z toalety, zamówiła koniak i zaczęła coś opowiadać.

Ci ludzie bardzo mi się spodobali, a jeszcze bardziej okoliczności, w których spędzali czas. A Monopol wydał mi się najfajniejszym miejscem w kraju – uznałem, że chcę do niego przynależeć; być w nim tak zakorzeniony jak Nikodem i jego ekipa. Nie miałem pojęcia, czym zajmują się ci ludzie, ale czułem, że tak beztroskie życie może gwarantować wyłącznie bardzo atrakcyjna praca.

W pewnym momencie Nikodem rzucił na cały głos (a miał już nieźle w czubie):

– A ja wam powiem tak: trzeba wypierdalać do Reichu, bo tu się nie da żyć. Mam kolegę w Berlinie Zachodnim i tak się ustawił, że popierdala po Niemczech swoim porsche i ma wszystko w dupie. Podobno kręci się przy zawodowym boksie, dostarcza na gale pięściarzy z demoludów, ale nie wiem, czy to prawda. Na pewno jakieś tam jeszcze inne lody kręci.

Zawirowało mi w głowie – hotele, laski, Berlin Zachodni, porsche, boks zawodowy.

Kurwa, to też musi być mój świat.

W pewnym momencie Nikodem zorientował się, że się przyglądam jego ferajnie, a zwłaszcza jemu.

– Co się gapisz? Wilka zobaczyłeś?

Zmieszałem się, chyba nawet spiekłem raka, ale nie spuściłem wzroku.

– Głodny jestem – powiedziałem zupełnie nieoczekiwanie dla siebie. Przecież miałem jeszcze sporo kasy i mogłem zrobić całkiem obfite zakupy w spożywczym.

– No i co? Myślisz, że cię nakarmię?

– Nie, ale od patrzenia robię się syty – odparłem.

Miałem wrażenie, że wkradła się we mnie jakaś inna osoba i mówi w moim imieniu.

Nikodem pokręcił głową i zawołał kelnera. Coś mu tam szepnął do ucha i za chwilę ten drugi przyniósł mi szarlotkę na talerzyku. Zjadłem ze smakiem i podziękowałem.

– Smakowało? – spytał Nikodem. Pokiwałem głową.

– No to wypierdalaj, to nie jest miejsce dla ciebie.

Podziękowałem i wybiegłem z Monopolu.

Szarlotka w Monopolu to był miły bonus od losu na dobry początek, ale jednak tylko bonus. Coś, co nie będzie mi się zdarzało każdego dnia. Może i byłem jeszcze dzieckiem, ale na tyle rozsądnym, żeby nie wierzyć w cuda. Wiedziałem, że po wyjściu z hotelu zderzę się z brutalną rzeczywistością. I być może tak będzie wyglądało całe moje życie – nigdy niekończący się bieg z przeszkodami. Bez domu, bez własnego kąta, z wymyśloną tożsamością.

Wyszedłem na ulicę i ruszyłem na poszukiwanie sklepu spożywczego – znalazłem go na starym mieście, na jednej z uliczek odchodzących od Długiej. Nie było wielkiego wyboru produktów, zadowoliłem się więc dwiema kajzerkami, kefirem i puszką pasztetu drobiowego. Możesz mi nie wierzyć, ale doskonale pamiętam, co wówczas kupiłem, bo to był pierwszy posiłek wolnego człowieka.

Usiadłem na ławce na jakimś podwórku i łapczywie zjadłem drugie śniadanie. Wysikałem się w śmietniku i wróciłem na Długą – postanowiłem zobaczyć, co znajduje się na jej drugim końcu. Ale nie przeszedłem nawet pięćdziesięciu metrów, gdy dostrzegłem patrol milicyjny – trzech mundurowych z pałkami do kolan szło w moją stronę i odniosłem wrażenie, że dziwnie mi się przyglądają. Jedyny dokument, jaki miałem przy sobie, to legitymacja szkolna – wprawdzie jak najbardziej autentyczna, ale jednak na moje nazwisko. A przecież pewnie byłem już poszukiwany. Nie chciałem ryzykować rozmowy z gliniarzami, więc skręciłem w najbliższą uliczkę i szybkim krokiem wyszedłem z Głównego Miasta.

Tam jednak od razu natknąłem się na milicyjną nyskę. Jej kierowca stał przy radiowozie i coś referował przez radiostację. Nie zwracał na mnie uwagi, więc obszedłem samochód szerokim łukiem i ruszyłem przed siebie, czując, jak pot spływa mi po plecach. Zrozumiałem wtedy, że bardzo trudno będzie się ukrywać w kraju, gdzie na każdym rogu czyhają milicyjne patrole. To, że mnie w końcu zatrzymają i wylegitymują, było jedynie kwestią czasu. No ale na razie nikt się mną nie interesował. Pierwsze dwanaście godzin ucieczki przebiegło zgodnie z planem. Zwłaszcza że tak naprawdę nie było żadnego planu.

Wróciłem do Monopolu. Pamiętałem słowa Nikodema, że to nie jest miejsce dla mnie, ale nic lepszego nie przyszło mi do głowy.

Usiadłem w hallu, z boku, żeby nie widział mnie recepcjonista, i zacząłem czytać „Głos Wybrzeża", który leżał na stoliku. Czytać to za dużo powiedziane – ja po prostu zasłaniałem twarz gazetą. Stworzyłem sobie taki mały azyl.

Nagle usłyszałem głos.

– Widzę, że lubisz tu wracać.

Zadrżałem i opuściłem pismo na kolana.

Po drugiej stronie stolika siedział mniej więcej trzydziestopięcioletni mężczyzna, ubrany w garnitur, lecz bez krawata. Pod szyją miał koszulę rozpiętą na jakieś trzy guziki; tak żeby było widać złoty łańcuszek.

– Czasem wracam, czasem nie wracam – odparłem. Nie umiałem rozmawiać z takimi typami. W ogóle nie wiedziałem, co mówić, żeby nie prowokować konfliktowych sytuacji. Jednak szybko się uczyłem.

– A jak już wracasz, to czego szukasz?

– Niczego nie szukam, wszystko mam...

Uśmiechnął się ironicznie.

– Nikt nie ma wszystkiego. Zawsze można mieć więcej.

– No nie wiem, nie wiem. – Tylko tyle przyszło mi do głowy.

Triumfował:

– O, widzę, że zaczynamy się wahać, to dobry znak. Może napijesz się piwa?

Pokręciłem głową.

– Nie piję piwa, ale jakąś herbatę to z przyjemnością.

Zrobił wielkie oczy, lecz oczywiście udawał, że się dziwi.

– Czy to znaczy, że jesteś nieletni? To co robisz w takim miejscu? Przecież nie jesteś turystą z Wietnamu.

Nie miałem pojęcia, gdzie leży Wietnam, więc tylko wzruszyłem ramionami.

– Co robię i skąd jestem to moja sprawa.

Zamówił dwa piwa, które zaraz pojawiły się na stoliku. Zawsze wyglądałem na starszego niż w rzeczywistości, dlatego kelner pewnie się nie zorientował, że podaje alkohol nieletniemu. Spokojnie można mnie było ocenić na osiemnastkę.

– Nie bój się, psy tu nie zaglądają. A jeśli już, to po cywilu i nie ty ich interesujesz. Zresztą jesteś pod moją opieką.

Oszczędzę ci dalszego ciągu tej rozmowy. Jej efekt był taki, że pojechaliśmy do niego do domu – mieszkał jakieś piętnaście minut samochodem od hotelu. Jego nowiutki polonez wydawał mi się ekskluzywną limuzyną, a zapach papierosów Caro, które palił – aromatem lepszego świata.

Zaprosił mnie do siebie, żeby – jak to określił – zaprzyjaźnić się ze mną. Powiedział, że ma pełną lodówkę i jeden wolny pokój, w którym będę mógł się przekimać. Najpierw posłuchamy płyt, a potem obejrzymy jakiś film na magnetowidzie. Nie wiedziałem, co to takiego, ale udałem, że to dla mnie normalka.

Nie wiedziałem, co jest grane, jednak było jasne, że gość ma wobec mnie zamiary inne niż dobre.

Nie chcę o tym opowiadać w detalach, powiem ci tylko, co się stało. Gdy weszliśmy do jego mieszkania, od razu puścił jakieś disco, nalał nam wódki i szybko zaczął się do mnie przytulać. Próbowałem się bronić, ale okazał się bardzo silny i zrobił to, na co miał ochotę.

Tak, zgwałcił mnie, ale na szczęście szybko skończył i już więcej się do mnie nie dobierał.

Patrzyłem na niego z bezsilną złością, chciało mi się płakać i wyć.

Uśmiechnął się jak król polowania.

– Co się tak gapisz? Czego się spodziewałeś? Mam uwierzyć, że nie dajesz innym?

Nie wiedziałem, co odpowiedzieć. Ale wiedziałem, że właśnie przerobiłem trudną lekcję życia. I potem już wszystko stanie się łatwiejsze. Oczywiście chciałem zabić skurwiela, lecz nie byłem z jego ligi – miał nade mną przewagę pod każdym względem.

– Daj coś za to – poprosiłem, starając się, aby mój głos brzmiał w miarę hardo.

– Mogę ci dać do buzi, jeśli tak bardzo ci zależy – odparł, rozsiadając się w fotelu i rozkładając szeroko nogi.

Byłem, kurwa, tak bezradny jak niemowlak – moje piętnaście lat życia zupełnie się nie liczyło. Cud, że w ogóle umiałem chodzić i jako tako posługiwać się ludzką mową.

Wtedy usłyszałem jego komendę:

– Wypierdalaj, a jak będziesz miał ochotę na powtórkę, to wiesz, gdzie mnie szukać.

Zachciało mi się lać. Spytałem, czy mogę skorzystać z ubikacji. Nie miał nic przeciwko, więc zamknąłem się w łazience. I tam – cud! – zobaczyłem olbrzymi sygnet leżący na szafce. Ciężki i z jakimś kamieniem.

Oczywiście szybko włożyłem go do kieszeni, spuściłem wodę i wyszedłem z mieszkania bez pożegnania.

A potem, niczym sprinter, zbiegłem schodami i zniknąłem między blokami.

Nigdy więcej skurwiela nie spotkałem. Nie podziękowałem mu odpowiednio za tamto upokorzenie. Jeśli potem zabijałem takich jak on, to z zemsty za tamtego. Ale, bądźmy szczerzy, oni wszyscy zasłużyli na swój los...

ROZDZIAŁ 8

*Wyrzuciłem sygnet...*

Wyrzuciłem sygnet... Do jakiejś rzeki czy kanału, nie pamiętam dokładnie... Wiem, że to głupie, ale wtedy wydawało mi się to rozsądne. Gdyby mnie zatrzymali z tym sygnetem, nikt by mi nie uwierzył, że to moja własność, i zaczęłyby się problemy.

Owszem, najlepiej byłoby go od razu sprzedać jakiemuś jubilerowi, ale niby gdzie go miałem szukać? A nawet gdybym poszedł do pierwszego lepszego, mógłby zacząć coś podejrzewać, a właściwie od razu wiedziałby, co jest grane, i dałby znać komu trzeba. Bo co miałem powiedzieć? Że tata chce upłynnić rodowy fingiel, ale nie mógł przyjść sam, bo ma rozdarte serce? Albo że go nagle złapał paraliż i wysłał syna?

Utopiłem sygnet i miałem z tego nawet sporo radochy – ukarałem jebanego zboczeńca! Postanowiłem kraść wyłącznie pieniądze. No i żarcie. Towary do upłynnienia to był gorący kartofel.

Pojechałem kolejką miejską do Gdyni, nie pytaj dlaczego. W moich podróżach logika nie odgrywała zbyt dużej roli – po prostu się przemieszczałem. Znikałem z jednego miejsca, pojawiałem się w drugim i znowu znikałem. Zupełnie jakby bawił się mną jakiś iluzjonista – wyciąga mnie z kapelusza w jednym mieście, wrzuca z powrotem do kapelusza i wyciąga w innym.

Do Gdyni pojechałem tylko po to, żeby opuścić Gdańsk, bo tam byłem już spalony. Akurat przechodziłem obok stacji kolejowej i zobaczyłem, że najeżdża pociąg. Pojechałem na gapę – miałem szczęście, nikt nie kontrolował biletów. W ogóle w moich podróżach miałem sporo szczęścia.

W Gdyni kupiłem bilet do Poznania – pociąg odjeżdżał za niecałą godzinę, więc wszystko wskazywało na to, że bezpiecznie opuszczę Pomorze. Odchodząc od kasy, zacząłem przeliczać pieniądze i zrozumiałem, że wprawdzie mam jeszcze środki na kilka dni takiej jazdy, ale już wkrótce zacznie się duży problem.

Postanowiłem zacząć działać – jeśli się uda, okradnę kogoś w pociągu. Jeśli to będzie forsa – rewelacja. Jeśli paczka słonych paluszków albo kanapki – też dobrze. W tamtym momencie zależało mi na tym, aby nauczyć się kraść. Podchodzić do ludzi, typować właściwe ofiary, zdobywać ich zaufanie, nie rzucać się wszystkim w oczy, nie wzbudzać podejrzeń.

To był początek wakacji, sporo młodych ludzi podróżowało po Polsce, więc nie stanowiłem jakiejś osobliwości – byłem jednym z wielu.

Nie miałem jednak pojęcia, że na trasie Gdynia– Poznań czeka mnie chrzest bojowy. A może raczej powinienem powiedzieć: bierzmowanie? Bo jednak chrzest bojowy nastąpił w Pyskowicach.

Jechałem w przedziale z pewnym facetem pod czterdziestkę. Nawet nie umiem go opisać – był tak nijaki, że zupełnie wyparował z mojej pamięci. Miał twarz, wydaje mi się, wrednego skurwysyna, ale nie wykluczam, że dopiero po jakimś czasie moja świadomość zaczęła go tak postrzegać. Na pewno był szatynem i zaczesywał włosy do tyłu. Ubrany był w... Chuj, nie mam pojęcia, w co był ubrany. Nie siedział nago.

Przez godzinę przyglądał mi się z uwagą, po czym zamknął oczy i zasnął. A przynajmniej na to wyglądało. Od razu zobaczyłem portfel wystający z kieszeni jego spodni. Poczekałem jeszcze chwilę, by mieć pewność, że śpi jak kamień, po czym delikatnie chwyciłem portfel i wyciągnąłem go z kieszeni. Wstałem i chciałem natychmiast wyjść z przedziału, ale nie udało mi się – facet chwycił mnie za kurtkę i pociągnął na siedzenie.

– Bądź cicho – syknął. Zagryzłem wargi i opuściłem głowę. Wyciągnął jakąś legitymację i powiedział:

– ORMO, jesteś zatrzymany, mały złodzieju.

– Kto? – spytałem, bo nie załapałem od razu.

– Ochotnicze Rezerwy Milicji Obywatelskiej, mam prawo cię zatrzymać i doprowadzić do najbliższej jednostki MO. I skorzystam z tego prawa.

– Proszę pana, ten portfel leżał na podłodze. Skąd miałem wiedzieć, że to pański? Szedłem właśnie do konduktora – powiedziałem, wiedząc, że i tak mi nie uwierzy.

– Tracisz czas, młody człowieku. Kłamać trzeba umieć. Albo trafić na frajera, który wierzy w bajki. A ja nie jestem frajerem. Dokumenty proszę. Masz jakiś dowód albo legitymację szkolną?

– No, właśnie nie mam przy sobie, proszę pana.

– A jedziesz z biletem szkolnym?

– Tak...

– To jak udowodnisz, że masz prawo do zniżki? – triumfował. Na twarzy był czerwony jak burak – widać było, że jestem jego największą zdobyczą. Teraz zatrzymał mnie, a potem aresztuje całą czołówkę podziemnej Solidarności.

On miał przewagę, ale ja miałem nóż. I zamierzałem z niego skorzystać, jeśli tylko nadarzy się okazja. Powiedziałem skruszonym głosem:

– Proszę pana, nie mam nic na swoją obronę. Niech pan robi, co pan uważa...

Uśmiechnął się jeszcze szerzej.

– Uważam, że musisz odpowiedzieć za swój czyn. A właściwie dwa czyny: nie masz przy sobie dokumentów. Ale nie chcę robić niepotrzebnego zamieszania, nie będziemy zatrzymywać pociągu ani angażować konduktora, i tak ma wystarczająco dużo pracy. Wysiądziemy w Bydgoszczy i pójdziemy do urzędu spraw wewnętrznych. Tam się rozstaniemy, a panowie z milicji już się tobą zajmą.

W tamtych czasach komendy przemianowano na urzędy spraw wewnętrznych – ten fiut z ORMO najwyraźniej bardzo kochał nowomowę czasów Jaruzelskiego.

Kiwnąłem głową i opadłem na siedzenie – on był górą, a ja zastanawiałem się, w jaki sposób odzyskam wolność.

Gdy dojeżdżaliśmy do Bydgoszczy, ormowiec wstał, by zdjąć z półki swoją teczkę – pamiętam, że była z brązowej skóry i pochodziła z czasów Gomułki. Za Gierka nie produkowano takiego badziewia. W każdym razie musiał się na chwilę odwrócić do mnie plecami. Wtedy wepchnąłem mu ostrze noża w szyję i przekręciłem je, jakby to był kran z wodą.

Zaczął charczeć, chyba chciał coś powiedzieć, ale szybko zadławił się krwią i upadł na podłogę. Dla pewności dźgnąłem go jeszcze kilka razy, wytarłem nóż w beżową zasłonę okna i wybiegłem z przedziału. Ormowiec leżał na podłodze, miałem więc nadzieję, że ludzie nie od razu zorientują się, co się wydarzyło.

Chwilę później znajdowałem się już na peronie dworca – w ręku trzymałem skórzaną torbę, a w kieszeni spoczywał ten pieprzony portfel.

Tkwiły w nim jakieś dokumenty i zwitek banknotów. W torbie znalazłem zapakowane w szary papier kanapki z żółtym serem i termos z herbatą.

To był naprawdę udany łów.

Pustą torbę i portfel, oczywiście bez pieniędzy, utopiłem w jakiejś rzece.

Pamiętam, że w Bydgoszczy było dużo wody...

ROZDZIAŁ 9

*Przeczytam ci fragment*

Przeczytam ci fragment, a ty zgadnij, co to jest: „Gdyby Moosbrugger miał wielką szablę, wziąłby ją teraz i ściął głowę krzesłu. Pościnałby głowy stołowi i oknu, kubłowi i drzwiom. Potem wszystkiemu, czemu by ściął głowy, nałożyłby swoją własną, gdyż w celi winna być tylko jedna jedyna... jego głowa; i tak będzie dobrze. Mógł sobie wyobrazić, jak głowa wyglądałaby, osadzona na wszystkich tych przedmiotach, z szeroką czaszką i włosami jak runo opadającymi na czoło, z czubka głowy. Wtedy nagle wszystkie te przedmioty stawały mu się bliskie".

Nie poznajesz? To z *Człowieka bez właściwości* Musila... Znam na pamięć całe strony. Sto razy to czytałem i chętnie bym przeczytał jeszcze raz, ale w więziennej bibliotece tego nie ma. A ileż można się katować *Ogniem i mieczem*? Gdybyś mógł mi przysłać *Człowieka bez właściwości*, byłbym ci bardzo wdzięczny. Wiesz, ja zawsze kochałem książki – jeszcze mieszkając w Pyskowicach, połykałem je hurtowo. Chyba nawet miałem niezły gust, bo już jako mały chłopak umiałem odróżnić chłam, jaki stanowiły lektury szkolne, od tego, co wartościowe. Zdziwisz się, ale okradałem także księgarnie – nie samym chlebem człowiek żyje. Jednak z powodu książki nikogo nie zabiłem. Kradłem, czytałem i wrzucałem do rzeki. A potem zdobywałem kolejne. Oczywiście nie miałem pojęcia, co jest modne – zwijałem pierwszy tom z brzegu i spadałem. Raz trafiało mi się gówno, ale innym razem – coś naprawdę wciągającego. Musila nie zwinąłem ze sklepu – był w plecaku jakiegoś turysty, który miał pecha znaleźć się ze mną w jednym wagonie. O ile pamiętam, drugi tom. Ukradłem plecak, ale człowieka nie skrzywdziłem. Wprawdzie w plecaku nie było ani żarcia, ani forsy, a tylko jakieś brudne ciuchy i ta książka, lecz nie żałuję – *Człowiek bez właściwości* to nie jakaś wciągająca opowieść, w gruncie rzeczy jest nawet nudny, ale co chwila trafiały się rodzynki, które robiły na mnie piorunujące wrażenie. Miałem napisane czarno na białym, że człowiek to bardzo skomplikowana machina i działa tak, jak się go zaprogramuje. On sam z siebie naprawdę niewiele może.

To tyle, jeśli chodzi o filozofię. Wróćmy do akcji.

Szybko zrozumiałem, że bez odpowiednich dokumentów nie będę mógł podróżować w nieskończoność. Muszę być kimś z konkretnym nazwiskiem, miejscem zamieszkania, z jakąś społeczną przynależnością. Owszem, miałem w kieszeni legitymację szkolną, ale ona bardziej mi ciążyła, niż pomagała. Wprawdzie zdobyłem dokumenty tożsamości ormowca i pedofila, ale jakbym się nimi wylegitymował, natychmiast trafiłbym do puszki. Musiałem zdobyć dokument wiarygodny – legitymację szkolną albo tymczasowy dowód osobisty. Miałem niespełna szesnaście lat, lecz wyglądałem poważniej i od biedy mogłem udawać nawet osiemnastolatka. No, ale dowód osobisty faceta pod czterdziestkę nie był mi do niczego potrzebny. Wiesz, jak zdobyłem dowód tymczasowy? Nie uwierzysz. Powiesz, że jestem idiotą, skoro się na coś takiego porwałem.

Na początku sierpnia – zwróć uwagę, że minęły już dwa miesiące mojej tułaczki – dołączyłem do pielgrzymki na Jasną Górę. Po prostu wtopiłem się w tłum i szedłem.

Akurat byłem w Radomiu, kiedy zobaczyłem gigantyczne skupisko ludzi – wokół stały ciężarówki, do których wrzucano torby i plecaki. Ktoś mi powiedział, że następnego dnia rusza pielgrzymka.

Przekimałem w lesie – było bardzo ciepło – i nad ranem pojawiłem się na placu przed wyższym seminarium duchownym. Wziąłem udział w mszy, a potem ruszyłem wraz z innymi. Nikt mnie o nic nie pytał – jako lektor doskonale znałem kościelne pieśni, wyglądałem więc na małego dewota, który już pierwszego dnia swego życia ofiarował duszę Panu i teraz dziękuje Mu za każdy kolejny.

Nie będę ci opisywał pielgrzymki, zresztą nie uczestniczyłem w niej do końca.

Drugiego dnia wpadłem na pomysł, który natychmiast zrealizowałem. Otóż wypatrzyłem kilku młodych ludzi, niewiele starszych ode mnie, i postanowiłem zdobyć ich dokumenty.

Zacząłem krążyć wśród nich, udając, że wysłał mnie ksiądz – ten, który akurat intonował przez megafon kolejną pieśń chwalącą Maryję.

Mówiłem, że mam zebrać dokumenty, bo będą potrzebne przed noclegiem – gospodarz chce mieć listę osób, które przyjmie pod dach. Starsi nie daliby się na to złapać, ale młodsi nie zadawali zbędnych pytań, tylko wyciągali kwity. Te legitymacje i dowody nie miały dla nich żadnego znaczenia – jak idziesz w takim wielkim skupisku, to jesteś silny grupą, a nie dokumentem tożsamości. Zresztą oni myśleli głównie o ślicznych dziewczynach, których było naprawdę dużo. A ja, jako że śpiewałem najgłośniej i znałem wszystkie zwrotki pieśni, budziłem zaufanie.

Zniknąłem, gdy szliśmy przez las – rzuciłem tylko, że muszę się odlać, chociaż i tak nikogo to nie obchodziło.

Miałem w kieszeni trzy legitymacje studenckie i dwa dowody osobiste. To był największy połów w mojej dotychczasowej ucieczce – ważniejszy od portfeli, nawet tych nieźle wypchanych.

Mając w ręku te dokumenty, mogłem myśleć o życiu w odleglejszej perspektywie. Oczywiście nie miałem pojęcia, do czego mi one posłużą, jednak poczułem się znacznie pewniej.

Nie wracałem już do Radomia, ale pojechałem pekaesem do Kielc. A tam, jak zawsze, poszedłem na dworzec kolejowy.

Przypominam, jak ci się uda zdobyć dla mnie Musila, to będę wdzięczny.

Jeszcze jeden cytat, który jakoś szczególnie zapadł mi w pamięć:

„Jeśli się nad tym zastanowić, życie było powikłane i jałowe w szczegółach, ale ostatecznie jego droga biegła przez sam środek i patrząc wstecz, mógł ją dokładnie widzieć, od urodzenia do śmierci. Moosbrugger nie miał bynajmniej uczucia, że inni wykonają na nim wyrok śmierci; to on sam wykona na sobie wyrok za pośrednictwem innych ludzi. Tak wyobrażał sobie to, co musiało nadejść. Wszystko w końcu tworzyło w jakiś tam sposób jedną całość: gościńce, miasta, żandarmi i ptaki, umarli i śmierć. Sam w pełni tego nie rozumiał, ale inni jeszcze mniej, choć potrafili więcej o tym gadać".

No właśnie, ja rozumiałem to, o czym inni tylko gadali. Z każdym dniem coraz lepiej rozumiałem ten mój świat.

## ROZDZIAŁ 10

*Pamiętam, że jechałem wtedy
do Olsztyna...*

Pamiętam, że jechałem wtedy do Olsztyna...
To był chyba wrzesień albo początek października.
Robiło się już chłodno.

Nie będę cię zanudzał relacjami z każdej mojej podróży. Przeważnie niewiele się działo. Nawet jeśli kogoś okradłem, schemat mojego działania wyglądał podobnie – gość przysypia, łapię jego marynarkę, wyskakuję z przedziału, znikam. Albo miałem szczęście i w wewnętrznej kieszeni tkwił portfel, albo miałem pecha i kieszeń była pusta. Przeważnie miałem pecha – szczęśliwe trafy zdarzały się mniej więcej co dziesiąty raz. Albo i rzadziej. A co ty myślisz? Że życie drobnego złodziejaszka jest usłane różami? Jest ciężką harówą, której nikt nie docenia, a każdy chciałby cię utopić w szambie.

Czasami zastanawiałem się, jak to jest, że nikt mnie nie szuka, nie ściga, nie widzę swoich zdjęć rozlepionych po miastach. Pewnie byłem szukany, ale niezbyt gorliwie – podejrzewam, że mojej rodzinie taka wersja nawet odpowiadała. W domu stało się na pewno spokojniej, chociaż z drugiej strony – niekoniecznie. Skoro

Izydor stracił obiekt do wyżywania się, czyli mnie, całymi dniami chodził wkurwiony i rzucał się na matkę. Bo na kimś musiał wyładować frustracje. A może jak zniknąłem, nagle zamienił się w anioła?

Sądzę, że wersja, jakobym padł ofiarą seryjnego zabójcy, była bardzo prawdopodobna, i milicja szybko umorzyła śledztwo. Tak przynajmniej wtedy myślałem. Wiesz, mniej więcej po miesiącu na tyle przyzwyczaiłem się do mojej nowej sytuacji, że przestałem obsesyjnie myśleć o pościgu. Żyłem każdym kolejnym dniem, czując, jak z godziny na godzinę staję się coraz bardziej dorosły.

Z dzieciństwem zerwałem definitywnie, zresztą nie mogłem pozwolić sobie na luksus bycia dzieckiem – miałem przed sobą naprawdę trudne wyzwania. Wtedy nie uświadamiałem sobie, jak wielkie...

Z dokumentów, które zwinąłem podczas pielgrzymki, starałem się nie korzystać, a jeżeli już, to bardzo ostrożnie – jeśli zachodziła potrzeba, na przykład w czasie kontroli biletów, od niechcenia machałem legitymacją przed oczyma kontrolera i szybko chowałem ją do kieszeni, jakby było jasne, że jestem w porządku, a on nie powinien mieć co do tego wątpliwości. Zdawałem sobie sprawę, że te dzieciaki, którym ukradłem legitymacje i dowody, mogły to zgłosić na milicję i w moim interesie jest, aby nikt przesadnie się w nie nie wczytywał.

Zresztą wtedy ważności dokumentu nie można było potwierdzić przez centralny system czy przez internet – to, co napisano na kawałku papieru, miało wartość prawdy ostatecznej, niepodważalnej. Komu by się chciało sprawdzać wiarygodność legitymacji szkolnej? Miałem bilet? Miałem. Wyglądałem na przyzwoitego młodzieńca? Wyglądałem. Zachowywałem się kulturalnie? Zachowywałem. No to czego chcieć więcej? Ludzie mieli wystarczająco dużo własnych problemów, żeby się jeszcze zajmować kimś, kto nie wzbudza żadnych podejrzeń, o nic nie prosi, niczego nie potrzebuje. Dziś byłoby o wiele trudniej.

Wracając do tej podróży do Olsztyna...

W przedziale, oprócz mnie, siedziało dwóch mężczyzn. Światło było wygaszone, nie widziałem dokładnie ich twarzy. Podczas jazdy pociągiem wszyscy wyglądają podobnie – żadnych fajerwerków: szare ubrania, szare twarze, szare torby. I gazeta na podłodze.

Poczekałem kilkanaście minut, a kiedy nabrałem pewności, że współpasażerowie śpią kamiennym snem, sięgnąłem po teczkę gościa, który siedział po mojej prawej ręce, po czym wstałem i wyszedłem z przedziału.

Gdy otworzyłem drzwi prowadzące do następnego wagonu, poczułem, że ktoś łapie mnie za rękę. To był ten drugi pasażer – którego akurat nie okradłem.

– Taki z ciebie kozak? – zapytał. Nie wiedziałem, co powiedzieć – tłumaczenie, że znalazłem torbę i zamierzam oddać ją konduktorowi, było bez sensu. Przecież on wszystko widział.

– Nie aż taki, skoro pan mnie złapał... – powiedziałem. Po plecach zapierdalały mi mrówki dreszczy.

– No i co z tym fantem zrobimy?

Trudno było wyczuć, czy gadam z gliniarzem, czy może jakimś pedałem, który zaraz zaproponuje mi układ – milczenie za numerek. Wzruszyłem ramionami.

– Masz taki kiepski zasób słów, że nie umiesz odpowiedzieć? – Uśmiechnął się, ale to nie był przyjazny uśmiech. Przeciwnie, wyczułem w nim groźnego przeciwnika.

– A co ja mam panu powiedzieć? Zwinąłem torbę, bo była do zwinięcia... – odparłem.

– To pewnie zwijasz i zwijasz, bo teoretycznie wszystko jest do zwinięcia...

– Nie wszystko. Jak ktoś trzyma torbę w ręku, to już się nie da zwinąć.

– Aha, to ty pracujesz jak dżentelmen... Krzywdy fizycznej nie robisz?

– Nie robię, proszę pana.

– I pewnie kradniesz z głodu?

– A żeby pan wiedział.

– Jesteś na gigancie? Wystawiłeś się z domu? Ojciec miał twardą rękę?

– A pan to niby jakiś prorok? Czego pan ode mnie chce?

– Za wcześnie na takie pytania, na razie to ja pytam, a ty odpowiadasz. Jak ci nie pasuje, zatrzymujemy pociąg i czekamy na milicję.

– Po co zatrzymywać pociąg? Ja i tak nie wyskoczę. A pan nie z milicji?

– Nie twoja sprawa. Ty o mnie nie musisz wiedzieć nic, a ja o tobie tyle, ile mi potrzeba. Nie rzucaj się.

– Ale ja się nie rzucam, proszę pana.

– Wiem, ale ostrzegam na wszelki wypadek.

Odchylił połę płaszcza – za paskiem miał komandoski nóż. Poczułem, jak kropelki potu spływają mi po dupie. Doigrałem się.

– Wiem, co czujesz, kiepski moment, no nie? Wóz albo przewóz: zrobię ci krzywdę albo puszczę wolno. Albo coś ci zaproponuję...

Postanowiłem zagrać va banque:

– Ja takie rzeczy czasem robię z innymi panami – wydukałem. Pokręcił głową z niesmakiem.

– Co ty sobie wyobrażasz, że jestem jakiś miękki? Wysiądziemy w Olsztynie i tam pogadamy. Na razie jeszcze niczego się nie bój, może się okazać, że to twój szczęśliwy dzień. Albo i nie... wiele zależy od ciebie. I ode mnie też, rzecz jasna. A teraz zobacz, czy w tej torbie jest coś, co ci pasuje, weź sobie, a torbę wrzuć do przedziału. Tylko się upewnij, że ten frajer śpi.

Ciężko dysząc, zajrzałem do środka – była tam butelka wódki i jakieś zawiniątko. Rozchyliłem papier i zobaczyłem pozwijaną w pęta kiełbasę.

– Mogło być gorzej – zaśmiał się nieznajomy. – Możesz to sobie zatrzymać, a torbę oddaj właścicielowi.

Tak zrobiłem – facet spał jak zabity, więc postawiłem bagaż na moim siedzeniu i wyszedłem z przedziału.

W Olsztynie wysiedliśmy. Przez chwilę zastanawiałem się, czy nie dać w długą, ale nigdy nie biegałem szybko, a gdyby mnie złapał, wówczas mógłby wymyślić dla mnie gorszy wariant planu. A ja liczyłem na wariant lepszy. Bo niby jakie miałem wyjście?

Pojechaliśmy taksówką na jakieś blokowisko – wysiedliśmy i skierowaliśmy się w stronę szarego czteropiętrowca.

Nie sądziłem, że moje życie już za chwilę nabierze nowego sensu. Dziwnego, ale jednak sensu. A może sądziłem?

## ROZDZIAŁ 11

*Otworzył drzwi do jednego z mieszkań*

Otworzył drzwi do jednego z mieszkań i weszliśmy do środka.

Wnętrze było zagracone – na podłodze stały jakieś pudła, wszędzie walały się wypakowane torby. Pewnie nikt nie otwierał tu okien od miesięcy – świadczyło o tym ciężkie, nieświeże powietrze, do którego z trudem się przyzwyczaiłem. No, ale nie spodziewałem się salonów.

Teoretycznie mogło się tam wydarzyć wszystko – facet mógł mnie zabić, skatować, zgwałcić. Nie wiem czemu, ale niczego się nie obawiałem. To znaczy byłem spięty do granic możliwości, bo trudno, żebym się w takich okolicznościach wyluzował, ale to nie był strach. Po prostu maksymalna ostrożność. Wiesz, miałem wtedy niespełna szesnaście lat, więc pewnie nie zdawałem sobie sprawy ze wszystkich zagrożeń, jakie niósł świat. Poza tym co ja miałem, oprócz życia, do stracenia? Jak jesteś młody, to cię życie aż tak bardzo nie kręci, a nawet jesteś ciekaw, co znajduje się po drugiej stronie. Czasami myślałem o tym, że ten, którego strąciłem z masztu, zna już prawdę o życiu wiecznym. A ja jeszcze nie. I że trochę mu tego zazdroszczę.

Nie od razu przeszedł do rzeczy – najpierw taka gadka szmatka: skąd jestem, dlaczego jestem na wystawce, co w moim życiu poszło nie tak i temu podobne. Początkowo próbowałem chachmęcić, zmyślałem jakieś wersje, ale był szczwanym lisem – szybko wyczuwał, kiedy wciskam kit, i spokojnie wracał do pytania sprzed kilku minut. W efekcie rozprułem się dokumentnie – powiedziałem mu nawet o zabójstwie na maszcie, ale nie przyznałem się do kolejnych trupów. To, co wydarzyło się w Pyskowicach, przedstawiłem jako nieszczęśliwy wypadek – obrażał mnie, zaczęliśmy się szarpać, zachwiał się, próbowałem go łapać, ale niestety poleciał... No i dlatego uciekłem z domu.

Facet pokiwał głową, zagwizdał, niby to z uznaniem, i powiedział, że nie spodziewał się aż tak ostrego zawodnika.

Zacząłem protestować, że niby wcale nie chciałem, by tak się stało; że wcale nie jestem ostrym zawodnikiem, wyszło, jak wyszło, ale on skwitował to krótkim stwierdzeniem: „Masz, chłopie, łeb na sumieniu, więc nie pierdol, że jesteś święty".

Nie chciałem się z nim sprzeczać, tym bardziej że miałem na koncie już trzy głowy – dwie kolejne na pewno nie były dziełem przypadku. Zastanawiałem się, czy nie powiedzieć mu wszystkiego, lecz w końcu uznałem, że pewne sprawy lepiej zachować dla siebie, zwłaszcza że nie miałem pojęcia, czego ten gość ode mnie chce.

Przez chwilę milczeliśmy, po czym powiedział:

– Chłopaki mówią na mnie Marko. Kiedyś pociąłem się z jednym frajerem z Serbii, który tak miał na imię, chlasnąłem go nożem po twarzy i zostawiłem mu ślad na całe życie. Moi kumple uznali, że skoro on ma ode mnie szramę, to ja będę miał ksywkę Marko. Coś za coś. Chciałem się dowiedzieć, w jakich okolicznościach doszło do tego zdarzenia, ale nie śmiałem pytać. Domyślił się, że to mnie interesuje, więc dodał:

– Tego Marko poznałem w Berlinie Zachodnim, to było jeszcze w latach siedemdziesiątych. Robiliśmy wspólnie interesy, próbował mnie przewieźć na kilka tysięcy marek, a ja się zorientowałem. No i dostał kosą po ryju. Cała historia, nie musisz znać szczegółów.

Coś jednak najwyraźniej nie dawało mu spokoju, bo wrócił jeszcze do tamtej sprawy, sprzedając mi złotą myśl:

– To, że cię każdy chce wychujać, to normalka. Ale jak próbuje cię wychujać kumpel, i to spod celi, to nie jest dobrze.

Nie chciałem pytać, gdzie siedział z tym Serbem, doszedłem do wniosku, że pewnie też w Berlinie Zachodnim. Zresztą, jakie to miało znaczenie?

Marko chyba nabrał do mnie sympatii, bo wyciągnął z jakiejś szafki butelkę z płynem koloru moczu starca i nalał nam po szklaneczce. Wypiłem i poczułem, jakby mi ktoś podłożył ogień w przełyku. Ale nie wyplułem – tak zakolegowałem się z bimbrem.

– Mogę pić, co tylko sobie zamarzę, ale ja i tak najbardziej lubię przypalankę – wyjaśnił i nalał dla siebie jeszcze jedną kolejkę. Mnie już nie zaproponował, zresztą tej drugiej próby mógłbym nie zdzierżyć.

Po wypiciu skrzywił się, po czym wyciągnął z kieszeni camela i zapalił.

Wyjawił mi swój plan. Szuka takich chłopaków jak ja. Którzy wystawili się z domu i nie zamierzają do niego wracać. Nie mają nic do stracenia, ale chcieliby dużo zyskać. Oczywiście nie od razu, nie od razu przecież Kraków zbudowano, ale w jakiejś sensownej perspektywie. Ja byłem ideałem, bo miałem na pieńku z organami ścigania i powrót do domu mógłby oznaczać albo poprawczak, albo, w najlepszym wypadku, ośrodek wychowawczy.

Czyli zrobię wszystko, żeby utrzymać się na powierzchni – nie wrócę do domu i nie sprzedam glinom ludzi, którzy podadzą mi rękę. A on mi właśnie podawał swoją. Rzecz jasna nie za darmo – wchodziłem w układ: on mi zapewnia środki do życia i dach nad głową, ja dla niego pracuję.

– Będziesz zwijał dla mnie fury. Oczywiście nie sam, przynajmniej na razie. Dołączysz do chłopaków, którzy są dobrzy w tej robocie i wszystkiego cię nauczą. Na początek te nasze krajowe złomy, na części, ale pewnie z czasem rozwiniesz skrzydła. To jest dobry interes, bo prywatne warsztaty łykają wszystko. Nie ma znaczenia, czy ci ufam, czy nie. Na zaufanie trzeba zapracować. Na razie kieruję się intuicją, a ona mi podpowiada, że nie polecisz na psy. I że będziesz się przykładał do roboty. Bo bez względu na to, czy fach jest legalny, czy nie, przykładać się trzeba zawsze. Z roboty jest pieniądz, a pieniądz trzeba szanować prawie tak samo jak własną, kurwa, matkę. Rozumiesz, co do ciebie mówię?

Kiwnąłem głową – czego miałem nie rozumieć? Wszystko było jasne i przejrzyste, pozostawała tylko kwestia dachu nad głową. I tym razem mnie wyczuł:

– Zadekuję cię na jednej mecie razem z kilkoma chłopakami. Morowymi chłopakami, przekonasz się. Niczego ci nie będzie brakowało, a jak podrośniesz, to ci nawet podrzucę jakąś kurewkę. Dymałeś już kiedyś?

Nie odpowiedziałem.

ROZDZIAŁ 12

*Karzeł zbudził mnie bladym świtem*

Karzeł zbudził mnie bladym świtem. On też był blady.

– Marko zawinęli...

Przetarłem oczy i popatrzyłem na Karła jak na jakiegoś wariata.

– Kto zawinął, kogo zawinął?

Karzeł chlasnął mnie z liścia w głowę.

– Budź się, kurwa, psiarnia zawinęła Marko. A niby kto?

Ta wiadomość mnie zmroziła – sądziłem, że na naszego bossa nie ma silnych.

– Przecież był dobrze poukładany z psami... – powiedziałem.

Karzeł prychnął pogardliwie:

– Wiesz, jak to jest: z jednymi psami jesteś poukładany, a z innymi nie. Psy to nie jest jakaś jebana rodzina, tam też są różne frakcje. Zresztą nie wiem, może to bezpieka go zawinęła. Nie odróżnisz...

– A gdzie go zdjęli? – zapytałem, jakby to miało jakiekolwiek znaczenie.

– W hotelu. Był na popijawie w restauracji. Weszli o północy, za łeb i do suki. Może za chwilę go wypuszczą, a może coś na niego mają i pójdzie na dołek na dłużej. W każdym razie trzeba spierdalać. Ty też.

– Marko się nie spruje... – mruknąłem, ale przyszło mi do głowy, że faktycznie, trzeba będzie znów ruszyć w drogę.

– A skąd ty, kurwa, możesz to wiedzieć? Jak go przycisną, to zacznie im sprzedawać płotki. Żeby oszczędzić grube ryby. Psom często to wystarczy. A ty i ja jesteśmy płotkami, więc lepiej nie ryzykować. Ja zaraz spadam. Tobie też radzę...

– Ale dokąd?

Popatrzył na mnie z przesadną powagą.

– Nie wiem dokąd. Nie chcę wiedzieć, gdzie pojedziesz, a ciebie nie interesuje to, dokąd ja pojadę. Im mniej wiesz, tym jesteś bezpieczniejszy. Masz trochę kasy, więc dasz radę gdzieś się zadekować. Umówmy się, że przez miesiąc krążymy po kosmosie i jeden drugiemu nie wchodzi w drogę. Potem możemy zacząć się łapać. A nuż wszystko przycichnie? Szukaj mnie u Blondyna. Mam nadzieję, że jego psy nie capną – powiedział.

Przybiliśmy sobie piątkę, po czym Karzeł opuścił melinę i rozpłynął się jak kamfora. Wstałem, ubrałem się, wrzuciłem do podręcznej torby wszystko, co mogło się przydać, i też opuściłem moją bezpieczną przystań – spędziłem w niej prawie rok i naprawdę czułem się tam jak w domu.

Niewiele myśląc, pobiegłem na dworzec kolejowy – nic lepszego nie przyszło mi do głowy. Nie miałem żadnego wujka w Bieszczadach, który by mnie ukrył, znów musiałem liczyć tylko na siebie. A skoro najlepiej było mi w kolejowym wagonie, postanowiłem wrócić na trasę. Tym razem czułem się o wiele bezpieczniej niż wtedy, kiedy wsiadałem do pociągu jadącego do Gdyni i zaczynałem życie na własny rachunek. Teraz miałem już nawet dowód osobisty załatwiony przez Marko – nazywałem się Jacek Sobolewski i miałem osiemnaście lat. W sumie liczyłem niewiele mniej wiosen, a wyglądałem, od biedy, nawet na dwudziestkę.

Nie uwierzysz – zresztą prokurator też mi w to nie uwierzył – ale już podczas tej pierwszej podróży, a jechałem z Olsztyna do Krakowa, napatoczył mi się pedał.

Tym razem przedział był pełny, lecz od razu zorientowałem się, że jeden z podróżnych przygląda mi się z uwagą. Był po czterdziestce i wyglądał jak południowiec – śniada cera, czarne włosy, wąsik. No, wypisz wymaluj, pieprzony ragazzo da Napoli zajechał mirafiori.

Pomyślałem sobie: czemu nie? Jeśli to rzeczywiście jest ciotka i zacznie się do mnie przystawiać, to ja mu zapewnię odpowiednie atrakcje.

Wyszedłem z przedziału, a on od razu wyskoczył za mną. Stanąłem w korytarzu przy oknie, niby że podziwiam widoki, tamten podszedł i zaczyna gadkę. Że jedzie służbowo do Krakowa, piękne miasto, ale on nie będzie miał czasu, żeby pójść na Wawel czy do krakowskich kawiarni. Że tylko jedzie do kontrahenta, załatwi sprawę i z powrotem na dworzec. A on jest artystyczna dusza, on by chciał pochodzić po muzeach, po galeriach, kościołem – byle starym – też nie pogardzi.

A ja mu na to, że ja na Wawel to, kurwa, ciągle latam, bo tam się najlepiej czuję, tak samo w muzeach i galeriach.

Odpowiedział, że pewnie studiuję historię sztuki. On jest tego pewien, bo mam taką uduchowioną twarz. Uśmiechnąłem się, dając do zrozumienia, że trafił w punkt.

Poszliśmy do Warsu, wypiliśmy po herbacie i zjedliśmy jakieś wafle.

Zaproponował, żebyśmy poszli w Krakowie na kolację.

Zapytałem, czy będzie miał na to czas, bo przecież, jak sam mówił, jest w ciągłym biegu i po rozmowie z kontrahentem musi spieszyć się na dworzec.

A on na to, że zostaną mu jakieś dwie godziny do pociągu i w tym czasie chętnie się ze mną spotka. Oczywiście, jeśli nie mam nic przeciwko temu.

Odparłem, że nie ma problemu, dziś nie mam nic do roboty, tylko trochę się pouczę w domu. Akurat jest wolna chata, bo wujek, u którego mieszkam, wyjechał do sanatorium i nikt mi nie przeszkadza w nauce. A ja lubię ciszę i spokój.

Jak powiedziałem o wolnej chacie, rozbłysły mu oczy.

– To może mnie zaprosisz do siebie? – zapytał, a ja odparłem, że będzie mi bardzo miło, tylko niech nie przestraszy się bałaganu, bo wujek to stary kawaler i porządki nie są jego mocną stroną.

On zaczął się śmiać i wyznał, że sam też jest starym kawalerem – tu mrugnął do mnie, by dać mi do zrozumienia, że nie uważa się za tak starego – i też nie jest mistrzem sprzątania.

Umówiliśmy się, że wieczorem spotkamy się na Rynku Głównym, a stamtąd pójdziemy do mnie. Zapewniłem, że droga zajmie zaledwie kilkanaście minut, więc możemy to potraktować jako spacer dla zdrowia. Oczywiście zjawił się punktualnie. W torbie miał butelkę wina, chyba węgierskiego – taki był z niego romantyk.

Gdy odeszliśmy na jakiś kilometr od Starego Miasta i znaleźliśmy się na wysokości Błoni, skręciłem w ulicę, gdzie były same zaniedbane wille. Powiedziałem, że to już niedaleko, i poprosiłem, aby pokazał mi butelkę, bo ja bardzo lubię wino i jestem ciekaw, jakie udało mu się załatwić. W tamtych czasach nie stały w sklepach wina francuskie, włoskie czy hiszpańskie. Były socjalistyczne syfy, które miały jednak tę zaletę, że dobrze waliły.

– No tak, miłośnik sztuk pięknych zawsze doceni wino – zaczął mamrotać, wyjął butelkę z reklamówki i mi ją podał. Spojrzałem na etykietę, powiedziałem: „ho, ho" – bo niby co innego miałem powiedzieć? – i pierdolnąłem go butelką przez łeb. Oczywiście wybrałem taki moment, żeby nie było nikogo w pobliżu.

Potem rozbiłem butelkę o chodnik i tulipanem przeciąłem mu krtań. Krew chlusnęła jak ze świni. Nawet nie jęknął. Nie było mi go żal – stanowił dla mnie łatwy do zdobycia punkt w grze.

Zabrałem portfel, a ciało zaciągnąłem w krzaki.

Odchodziłem szybko, nasłuchując, czy ktoś nie zacznie wznosić lamentów. Chyba jeszcze przez długi czas nikt nie natrafił na zwłoki.

Łów nie był duży, ale uznałem, że nie wyszedłem z wprawy, i to się liczy. Gość był jakimś artystą, miał legitymację pracownika Zjednoczonych Przedsiębiorstw Rozrywkowych. Cholera wie – może konferansjer, może perkusista, a może cyrkowiec.

Wszyscy artyści to pedały.

## ROZDZIAŁ 13

*A potem przez ponad miesiąc
szwendałem się po kraju*

A potem przez ponad miesiąc szwendałem się po kraju. Nie, nikogo nie zabiłem, jeśli cię to interesuje. Kradłem, co popadło, spałem, gdzie popadło, w sumie robiłem, co popadło. Do dziś zastanawiam się, jak to się stało, że nikt mnie nie zatrzymał. Przesiadałem się tylko z pociągu do pociągu, wydeptywałem perony w całym kraju, wdychałem zapach kolejowych przedziałów i jakoś udawało mi się unikać konfrontacji z mundurowymi.

Powiem ci – ta cała Milicja Obywatelska to nie była jakaś wybitna służba. Wszyscy się jej bali, a oni mieli zwykłych ludzi w dupie. Gdybym jeździł ze znaczkiem Solidarności przypiętym do swetra, pewnie daleko bym nie zajechał – ale ja nie wyglądałem na osobę zaangażowaną politycznie. Ot, młody chłopak, który wraca do domu z wizyty u wujka.

Jeżdżąc pociągami, miałem dużo czasu na myślenie. Ale naprawdę rzadko dopadały mnie wątpliwości, czy dobrze pokierowałem swoim życiem – byłem jak ktoś, kto zażył zbyt dużo środków przeciwbólowych i otępiał. Instynkt podpowiadał, że jeśli będę myślał zbyt intensywnie, to różnie się to może skończyć. Myślenie niczego nie zmieni, a na pewno nie na lepsze. Na tamtym etapie wystarczyło, żebym dotarł z punktu A do punktu B, a następnie wybrał kolejną trasę i też bezpiecznie ją przemierzył. Niby żadna wielka filozofia, ale gdyby coś poszło nie tak, miałbym bardzo duży problem.

Kiedy minął miesiąc i kilka dni, postanowiłem skontaktować się z Blondynem. Zachowałem do niego numer. Oczywiście nie mogliśmy rozmawiać otwartym tekstem, bo od czasu stanu wojennego ludzie przyzwyczaili się do myśli, że służby podsłuchują rozmowy.

Pamiętam, zadzwoniłem do niego z budki telefonicznej w okolicach dworca w Poznaniu.

Nie od razu odebrał. Musiałem kilkakrotnie wybierać numer. W końcu w słuchawce usłyszałem jego „halo".

Mówię:

– Cześć, tu Karakan. Jak sprawy?

A on na to:

– A o co konkretnie pytasz?

– Co tam słuchać u ludzi?

– Jak to u ludzi, różnie: na wspak i podłużnie.

– A co u wujka?

Umówiliśmy się, że wujek to Marko.

– U wujka wszystko gra. Wrócił z sanatorium, mówi, że teraz czuje się o wiele lepiej. Chodzi sam, ale o kulach – powiedział Blondyn.

– Jest szansa, żeby go zobaczyć? – zapytałem.

– No jasne, wbijaj na chatę, Karakan. Wujek jest w domu cały czas, bardzo się ucieszy, jak cię zobaczy.

Odwiesiłem słuchawkę – serce załomotało mi jak szalone. Wypuścili Marko z kicia! Najwyraźniej nic na niego nie mieli. A może jednak mieli, ale uznali, że lepiej mieć go na wolności i dyskretnie obserwować? Tak czy inaczej, gdyby mieli coś bardzo grubego, Marko na pewno nie wróciłby do domu.

Następnego dnia z rana byłem w Olsztynie – swe kroki od razu skierowałem do Blondyna. To u niego miałem spotkać uwolnionego szefa. I faktycznie – był tam. Siedział na obskurnym fotelu i palił papierosa. Na mój widok nie okazał żadnych emocji – w sumie czego się spodziewałem? Że uśmiechnie się od ucha do ucha, wstanie i przygarnie mnie do piersi?

Nawet nie wstał z fotela – zgasił fajkę w metalowej popielniczce, spojrzał trochę zdezorientowanym wzrokiem, tak jakby sam nie wiedział, jak zareagować. Po czym się odezwał:

– Dobrze cię widzieć, Karakan.

– Pana też dobrze widzieć...

Wzruszył ramionami, mówiąc:

– No widzisz, jaka wzruszająca chwila.

Pokiwałem głową, a on zamilkł na dobrą minutę. Po czym powiedział:

– Jak robisz w tym fachu, to czasem musisz pójść do pierdla. Ale trzeba tak kombinować, żeby do niego nie trafiać.

– A to w ogóle możliwe? – zapytałem. Przeczuwałem, że choć pucha nie była dla Marko pierwszyzną, to jednak tym razem naprawdę dali mu w kość.

– Wszystko jest możliwe. Ale rachunek prawdopodobieństwa jest taki, że czasem trzeba posiedzieć. I tylko jedno jest ważne: nie dać się złamać. Bo jak cię, kurwa, złamią, to nawet na wolności nie będziesz wolny. Będziesz złamany...

Uśmiechnąłem się, choć prawdopodobnie był to głupkowaty grymas.

– Ale pan się przecież nie dał złamać...

Ciężko westchnął.

– A skąd ty to możesz wiedzieć? Jakiś jasnowidz jesteś, prorok jebany?

– Znam pana...

– Ty sam siebie nie znasz, Karakan, a co dopiero mówić o znajomości innych ludzi. Życia nie znasz, naiwny jesteś... Musisz jeszcze dużo przejść. Jeśli pytasz, to odpowiadam: nikt mnie nigdy nie złamie. Nigdy na kumpli się nie spruję...

– No właśnie...

– Ale za kratkami lekko nie jest. Przede wszystkim jednak to strata czasu. A jak strata czasu, to strata kasy. Na chuj tracić kasę?

Znów pokiwałem głową – czułem się jak maskotka psa, wożona w samochodach przy tylnej szybie. Takie psy cały czas machały łbami, co, przyznam, zawsze bardzo mnie śmieszyło.

– Dlatego musimy ostro wziąć się do galopu – kontynuował. – Trzeba nadrobić to, co nam psiarnia przystopowała. Wieczorem wpadną chłopaki, to powiem, w co wchodzimy.

Jak tak dziś się nad tym zastanawiam, to dochodzę do wniosku, że chyba jednak Marko dał się wtedy złamać. Ale, paradoksalnie, opłaciło mu się to. Milicja zdawała sobie sprawę, że podziemie kryminalne – wtedy jeszcze nikt nie używał słowa mafia – rośnie w siłę, i niebiescy potrzebowali wtyk. I to takich, które coś znaczyły na mieście. A potem, po kilku latach, niebiescy i ich gangsterzy zaczęli kręcić lody, które wprawdzie nie miały nic wspólnego z prawem, ale bardzo się opłacały obu stronom. Ale o tym opowiem ci trochę później.

Chodzi mi o to, że już wtedy Marko był doklepany z psiarnią i co jakiś czas sprzedawał im jakiegoś pionka, żeby jeden czy drugi komendant mógł się pochwalić dobrymi wynikami. Poza tym w ten sposób łatwo eliminował konkurencję – swoich przeciwników podawał niebieskim jak na talerzu.

Ale to już inna sprawa...

W każdym razie spotkaliśmy się wieczorem w starym składzie; pojawiło się też kilku nowych chłopaków, których Marko znał jeszcze z dawnych czasów i teraz do niego dołączyli. W sumie było osiem osób – siedmiu żołnierzy i dowódca.

Otoczyliśmy go, a on zaczął nam przedstawiać swój plan:

– Nie ma co kombinować, trzeba zarabiać na tym, co jest najbardziej chodliwe. A najbardziej chodliwe są kartki...

Przypominam, że w tamtych czasach niemal wszystko było reglamentowane – fajki, wóda, buty, mięcho. Fakt, ludzie byli gotowi sporo zapłacić za dodatkowe talony, ale nie rozumiałem, jaki byłby w tym nasz udział. Ostatecznie to nie my drukowaliśmy te świstki, tylko państwo ludowe. Ale Marko szybko nam to wyjaśnił:

– Teraz talony są więcej warte niż złotówki. Nie ma dwóch zdań – to jest realny pieniądz, bo coś się za niego dostaje. A pieniądze, same w sobie, mają gównianą wartość. Dlatego musimy zdobywać talony – wiadomo, gdzie są, pytanie tylko, czy uda się nam je zwinąć. Ale kto nie próbuje, ten nie ma. Wiadomo, że władza przechowuje je w urzędach gminnych w kasach pancernych. Nie mam wątpliwości, że te kasy są cały czas otwarte. A nawet jeśli są zamknięte, mamy magików, którzy się do nich dostaną.

W tym momencie wskazał na nowych. Mieli duże doświadczenie we włamach i równie bogatą kartotekę w prokuraturze. Marko kontynuował:

– Będziemy wchodzić nocą. Zabezpieczenia urzędów są gówniane, a ich ochrona fizyczna niemal nie istnieje. To są dziadki z tetetkami albo jakimś innym złomem, którzy nawet nie przyfilują, że coś się dzieje. Gotowi?

Kiwnąłem głową – nie chcę przez to powiedzieć, że czułem się gotowy, ale też nie miałem wrażenia, żeby było to zadanie poza granicami moich możliwości. W sumie, skoro nauczyłem się włamywać do samochodów, jakim problemem było wykradanie talonów? Przecież to nie ja miałem otwierać sejfy, a jedynie stać na świecy. Znaczy, na czatach.

Inni też kiwali głowami.

## ROZDZIAŁ 14

*Pojechaliśmy na grubo*

Pojechaliśmy na grubo, naprawdę...
Nie wiem, czy ktokolwiek liczył te talony, czy władzy w ogóle zależało na tym, aby ich liczba się zgadzała, bo myśmy wciąż je wykradali, a jak wracaliśmy – znowu były. Wchodziliśmy do urzędów jak w masło, zwijaliśmy je setkami, nikt nas nie gonił... Tak naprawdę to wcale nie były kasy pancerne, tylko zwykłe metalowe szafy zamknięte na klucz – nie trzeba zawodowych włamywaczy, żeby się do nich dostać.

Jeździliśmy po całym kraju – no, może przesadzam, ale na pewno obskoczyliśmy kilkanaście województw – przypominam, że było ich wtedy czterdzieści dziewięć – i zdobywaliśmy talony. Często współdziałaliśmy z lokalnymi złodziejaszkami, bo bez nich robota byłaby o wiele trudniejsza – oni nam radzili, co, jak i kiedy, a także brali udział we włamach – i tak rodziły się znajomości, które przetrwały PRL i przynosiły owoce w późniejszych czasach.

Na czarnym rynku talony szły jak woda – ludzie byli gotowi przehandlować za nie swoją wątrobę. Zrozumiałem wtedy, że polskie społeczeństwo wspiera się na trzech filarach: wódzie, fajkach i wieprzowinie. Bo na to, choć nie tylko, były talony. Gdyby ludziom odebrać możliwość ich zdobycia, można by spokojnie rozwiązać ten kraj i zaorać.

Ale talony to był cały czas jedynie odprysk, bo wciąż zwijaliśmy fury, a właściwie zwijaliśmy ich coraz więcej – powoli robił się z tego cały przemysł. Wiesz, niby zdecydowana większość samochodów na polskich ulicach to były jakieś zasrane trabanty, maluchy i polskie fiaty, ale z każdym rokiem pojawiały się coraz częściej fury z Zachodu. Jak trafiały do Polski, nie miałem wówczas pojęcia, ale mercedesy czy bumy przestały być egzotycznym widokiem. Szczególnie dużo jeździło ich na Pomorzu – w Gdańsku i Szczecinie. Co tu gadać – portowe miasta, gdzie zawijały statki z Hamburga czy innego Rotterdamu, to był lepszy świat. Nawet Warszawa, stolica, wydawała się prowincją przy Trójmieście.

A jakie tam się kręciły laski! Jak z jakichś zagranicznych żurnali – zupełnie inaczej ubrane, inaczej wymalowane... Jarały takie szlugi, jakich nie można było dostać w kioskach, nawet na te nasze talony. Oczywiście krążyli wokół nich faceci, od których na kilometr śmierdziało sianem. Wsiadali do limuzyn i gdzieś odjeżdżali, a prosty lud mógł tylko patrzeć i zazdrościć. Podejrzewam, że Kowalski z jakiegoś Pcimia życzył im albo wypadku, albo przynajmniej tego, by ich zatrzymała drogówka, ale ja byłem pewien, że od takich gości gliny trzymają się z daleka.

Prawdę mówiąc, im dłużej kręciłem się w środowisku przestępczym i patrzyłem na te laski w mercedesach, tym bardziej marzyłem, aby samemu stać się takim napakowanym gościem w czarnej skórzanej kurtce, z kilogramem złota na szyi. Bo to byli bogowie – więksi od partyjnych sekretarzy i o wiele bardziej od nich podziwiani.

Sekretarze wyglądali jednocześnie i strasznie, i śmiesznie. Goście w skórach nie byli w ogóle śmieszni. A czy straszni? Za jakiś czas miało się okazać, że nawet bardzo.

Nie będę cię zamęczał moimi przygodami z tamtego czasu – krążyłem z ekipą po kraju, zarabialiśmy dla naszego szefa mnóstwo forsy. Czasami bywało niebezpiecznie, zdarzało się, że ścigała nas milicja, lecz jakoś udawało się nie wpaść. Jak tak dziś o tym pomyślę, to dochodzę do wniosku, że psy ścigały nas tak, jakby nie chciały złapać. Może rzeczywiście Marko był ich szpiclem i wszystkie skoki zostały wcześniej dogadane? Może część talonów trafiała do niebieskich albo do bezpieczniaków? Może byli na działce z fur?

Nie wiem, podejrzewam, że nad naszymi drobnymi przestępstwami czuwał ktoś bardzo mocny, kto nas chronił i pewnie miał z tego dolę. Ale co mnie to obchodziło?

Ciągle byłem przy forsie, mogłem stawiać kumplom wódę, fajnie się ubierałem, oczywiście na ciuchach, gdzie kupowało się rzeczy z Zachodu. Było git!

Minęły mniej więcej dwa lata – jesteśmy już w drugiej połowie lat osiemdziesiątych – a ja skończyłem osiemnastkę.

Wiesz, jaki prezent dostałem od Marko? A pamiętasz, co mi obiecywał? Tak, tak, pewnego dnia, kiedy byłem sam na melinie, zapukała do mnie kurewka i spytała, czy to ja jestem szanownym jubilatem.

Możesz wierzyć bądź nie, ale ja wciąż byłem pra-
wiczkiem – seks śnił mi się po nocach, nadwyrężyłem
sobie mięśnie prawej ręki od trzepania konia, momen-
tami bałem się, że zwariuję bez kobiety, tym bardziej
że chłopaki codziennie opowiadały o swoich przygo-
dach z laskami, ale jakoś się nie składało.

Był już wieczór, a ja właśnie przeglądałem jakiegoś
pornosa, którego zostawił mi kumpel. Potem dowiedziałem się, że podrzucił go celowo – żebym się pod-
kręcił przed wizytą panienki.

Jak zapukała, to miałem namiot w spodniach i szykowałem się do rękodzieła... Otwieram, patrzę, a tu
na progu stoi takie bóstwo jak te dziewczyny facetów
w skórach. No, może nie aż taka jak one, ale na pierwszy rzut oka zrobiła na mnie piorunujące wrażenie.
Miała pod czterdziestkę – chodziło o to, aby rozdzie-
wiczyła mnie doświadczona mewka – ale tapeta doskonale ukrywała wiek.

Nie będę ci opowiadał szczegółów, bo na co ci one?
Zresztą niewiele zapamiętałem – posługiwała się głównie dłońmi i nie pozwoliła wejść mi na dłużej do środka. Wystrzeliłem na podłogę i było po wszystkim.
Generalnie seks klasy B albo nawet C, ale ja byłem
dumny jak paw i wreszcie mogłem uznać się za prawdziwego mężczyznę.

Zapamiętałem tylko to, że mówiła do mnie „skarbie"
i strasznie jechało od niej papierosami i wódą.

Wtedy to mnie bardzo kręciło.

Dziś takie baby mnie nie podniecają.

Chciałbym jeszcze kiedyś przelecieć jakąś kobietę,
ale taką skromną. Zupełnie inną niż tamta kurwa.

Zresztą kurew napukałem się od pyty! Nie mam już
na nie ochoty.

Ale pewnie już z nikim tego nie zrobię...

ROZDZIAŁ 15

*Gdybym był kamieniem w saunie...*

G dybym był kamieniem w saunie... W latach dziewięćdziesiątych – znowu skaczę do przodu, przyzwyczaj się, że opowiadam trochę chaotycznie – zacząłem chodzić do sauny. Wiesz, to był taki cywilizacyjny awans – zacząłem bywać w miejscach, gdzie przesiadywali ludzie z wyższych sfer, chłopcy z miasta i ich laski. Miasto oczywiście robiło wieś, bo gangsterzy przynosili ze sobą whisky i chlali na potęgę w temperaturze stu stopni, a potem padali jak muchy. Czasami jeden czy drugi puścił pawia, zdarzało się, że na blond włosy swojej laski. Ale zazwyczaj w saunach była pełna kultura – przeważnie zatrzymywałem się w dobrych hotelach i tam spotykałem nie tylko rodzimych biznesmenów, ale też gości z Zachodu. Gadka szmatka, z czasem nawet zacząłem wrzucać jakieś niemieckie słowa, żeby wypaść na światowca. Byłem już dobrze po dwudziestce, a wyglądałem na trzydzieści i nikt nie traktował mnie jak leszcza, przedstawiciela nowej, młodej elity tego kraju. Zdarzało mi się nawet sugerować, że pracuję dla jakiejś międzynarodowej korporacji, która prowadzi interesy w Polsce, ale nie będę wchodził w szczegóły, bo to dopiero wstępny etap i jeszcze nie wiadomo, czy otworzymy swoje biuro nad Wisłą.

Z biegiem lat sauna przestała być miejscem elitarnym i mógł się w niej pocić każdy pieprzony Kowalski – ale na początku lat dziewięćdziesiątych była czymś pomiędzy pewexem a kasynem.

Jednak ja nie o tym chciałem mówić...

Bo zawsze, jak siedziałem w saunie i patrzyłem na rozgrzany do czerwoności piec, zastanawiałem się, jak bym się czuł, gdybym był kamieniem... Takim, który się kładzie na grzałkach pieca.

Ja pierdolę! Nawet teraz, jak sobie o tym pomyślę, to robi mi się niedobrze. Wyobrażasz sobie? Kładą cię na te cholerne grzałki, włączają piec i w ciągu kilkunastu minut robi się gorąco. Diabelnie gorąco. Grzałki świecą jak szalone, a ty zaczynasz wchłaniać ich temperaturę. Po chwili jesteś tak samo gorący, tyle że nie zmieniasz koloru, nie świecisz w ciemności.

Niby co to dla ciebie za różnica – przecież jesteś martwy, niczego nie czujesz, zniesiesz każdą temperaturę.

Kiedy patrzyłem na te kamienie, to wyobrażałem sobie, że wcale nie są martwe – żyją, tylko innym życiem niż nasze. Nie mają żadnej inteligencji, ale odczuwają ból. Nie mają krwi, ale mają system nerwowy.

Człowiek smażony na ruszcie umarłby raz-dwa, a kamienie muszą to znieść – cierpią dokładnie tak samo, ale nie ścina się w nich żadne białko, więc pozostają w grze. I tylko modlą się do jakiegoś kamiennego boga, żeby pozwolił im przetrwać każdy kolejny dzień, do wieczora, kiedy pracownik sauny wyłączy piec. Oczywiście te modlitwy nie mają żadnego znaczenia – kamienie i tak przetrwają. Będą żyły wiecznie, a ich cierpienie nieuchronnie powróci każdego ranka.

Ale wiesz co? Potem dowiedziałem się, że kamienie w saunie wcale nie są wieczne – co jakiś czas trzeba je wymieniać, bo się zużywają. Mniej więcej co siedemset godzin grzania.

Czyli nawet kamień umiera, choć najpierw musi się nieźle nacierpieć.

Dlaczego o tym mówię? Bo ja też byłem takim kamieniem, przynajmniej na początku mojej drogi przestępczej.

Ktoś w porę zdjął mnie z pieca – akurat wtedy, kiedy okrzepłem, przyzwyczaiłem się do bólu, ale jeszcze nie zacząłem kruszeć.

Spodobały mi się figle z kurewkami... Normalnie facet rusza na dziwki, jak już mu się znudzi żona czy oficjalna partnerka, a ja zacząłem od dam lekkich obyczajów, bo wtedy nawet nie przyszło mi do głowy, żeby sobie szukać jakiejś laski na stałe. Na cholerę była mi dziewczyna? Żeby mi patrzyła głęboko w oczy i czekała, aż jej wyrecytuję wiersz? Wprawdzie dużo czytałem, ale nie poezję. Jeśli coś znałem na pamięć, to przypowieści z Biblii. Ale wyobrażasz sobie taką sytuację, że kładę dupę na tapczanie, biorę ją za rękę i szepczę do ucha jakąś przypowieść z Nowego Testamentu? Albo list świętego Pawła? Wzięłaby mnie za świra i spierdoliłaby...

Nieistotne – kurewki nie były romantyczne, rozmawiały konkretnie i z dużą znajomością rzeczy robiły to, co trzeba. A nawet można się było z nimi pośmiać – znały w pytę dowcipów o tematyce damsko-męskiej. Przeważnie o facetach, których żony rżną się z sąsiadami, a mężowie nic nie czają. W tej chwili nie przypominam sobie żadnego takiego dowcipu. Chociaż poczekaj... Przychodzi mąż do domu, a tam żona leży na łóżku z sąsiadem i robi mu loda. A mąż pyta zdziwiony: „Kochanie, dlaczego tak się kiwasz nad panem Leszkiem?". A ona mu na to...

Nie, kurwa, zapomniałem. Myślałem, że znam przynajmniej jeden dowcip. Nie wiem, co mu kobita odpowiedziała.

W każdym razie ostro się zabawiałem z mewkami – nawet nie zawsze musiałem płacić. Na pewnym etapie, ale to już było w latach dziewięćdziesiątych, dostałem to w pakiecie – pracowałem dla grupy, która haraczowała burdele, więc panienki miały obowiązek dać mi za darmo.

Generalnie dziewczyny mnie lubiły, ale był wyjątek... No i ten wyjątek skończył się dość nieciekawie.

To była końcówka lat osiemdziesiątych, tuż po wyborach 4 czerwca 1989 roku. Wiesz, wraz z demokracją na szosy wylazły kurwy. Polskie, ukraińskie, bułgarskie – dosłownie cała Słowiańszczyzna. Miałem dwadzieścia jeden lat – człowiek wtedy myśli fiutem, a przede wszystkim wydaje mu się, że jest panem świata.

Jechałem polonezem przez Wielkopolskę – gdzieś w okolicach Nowego Tomyśla przylukałem całkiem fajny towar. Nie żeby to była jakaś miss świata, ale wyglądała na trochę mniej sfatygowaną niż większość kurew, które wyskakiwały zza krzaków i machały do kierowców. Ta była młoda, o całkiem przyjemnej buzi, i zupełnie nie przypominała tirówki.

Zatrzymałem się, przez chwilę rozmawialiśmy o dupie Maryni, czyli „skąd jesteś" i „czy dużo wyciągasz dziennie z tego stania na szosie", w końcu przeszedłem do rzeczy. Powiedziałem, że ma mi zrobić loda, a ona mi na to, że z przyjemnością, i podała cenę. Dla jasności – w dolarach. Taki był z niej kantor wymiany walut. Działo się to jeszcze na kilka lat przed denominacją złotówki, więc gdybym miał jej płacić w naszej walucie, to samo liczenie trwałoby pewnie dłużej niż seks.

Nie pytałem, skąd jest, lecz nie miałem wątpliwości, że przyjechała ze Związku Radzieckiego. Wtedy jeszcze istniało takie państwo, choć już ostro trzeszczało.

Wziąłem kurewkę do poldka, wjechaliśmy w las – nie mam pojęcia, czy miała jakichś ochroniarzy, czy działała na własną rękę, choć to drugie było raczej niemożliwe – i tam zrobiła mi laskę. Cała robota trwała kilka minut, po czym dupa zaczęła się domagać zapłaty.

A ja, kurwa, akurat nie miałem przy sobie kasy. No, tak się złożyło... Zapłaciłbym, przecież nie jestem jakimś pieprzonym leszczem, który idzie na sępa, ale nie miałem czym. Obiecałem, że za jakiś czas wrócę i zapłacę jej podwójnie.

Wtedy ona zaczęła się rzucać, grozić i takie tam... Gdyby skończyło się na słowach, wykopałbym ją z auta i pojechał dalej, tym bardziej że zaczynało mi się spieszyć, ale ona wyskoczyła z łapami. Podrapała mnie po twarzy, nawet rozkrwawiła mi powiekę.

No, żeż ty suko...

W samochodzie trzymałem kilkumetrowy kawałek sznurka od snopowiązałki. Tak na wszelki wypadek. Wiesz, jakby trzeba było komuś związać ręce czy coś w tym stylu.

Jebnąłem kurwę z dyńki, osunęła się na siedzeniu, a ja wtedy zacisnąłem sznur na jej szyi i udusiłem. To było moje pierwsze duszenie w życiu – uwaga, nie ostatnie! – ale wcześniej sporo nasłuchałem się od chłopaków, co trzeba robić, by wysłać ofiarę do nieba. W sumie to żadna filozofia – wystarczy, że masz silne ręce i będziesz trzymał tak długo, aż człowiek kopnie w kalendarz. To się nazywa zadzierzgnięcie. Im dłużej ją dusiłem, tym bardziej gały wyłaziły jej na wierzch i nawet przestraszyłem się, że wyskoczą z oczodołów. Ale nic takiego się nie stało.

Chciałem porzucić ciało w krzakach, lecz uznałem, że bezpieczniej będzie przewieźć je jeszcze kilka kilometrów i wrzucić gdzieś do wody. Tak zrobiłem – wysłałem ją na naukę pływania do jeziora Lutol.

Myślałem, że od razu pójdzie na dno i świat już nigdy więcej się o nią nie upomni.

Jednak ktoś mnie przyuważył i sprawa trafiła na psy.

Pewnego dnia przylatuje do mnie Marko i zaczyna opierdalać:

– Po chuja żeś zabijał tę dziewczynę?!

– Jaką dziewczynę? – pytam, choć doskonale wiedziałem, że boss zna prawdę.

– Tę, co to ją utopiłeś w jeziorze! Nie kręć, gówniarzu, bo jakiś frajer zapisał numer poloneza. Akurat wziąłeś furę zarejestrowaną na mnie. Od razu wyłowili ciało.

Zrobiłem się czerwony jak burak.

– To było niechcący, skoczyła do mnie z łapami, podrapała mi ryja. Broniłem się...

– Broniłeś się, kurwa... – syknął z ironią. – Tak, że mało jej łeb nie odpadł.

– A da się to jakoś zblatować? – spytałem, choć byłem pewien, że Marko nie pozwoli mi trafić do pierdla. Jakbym trafił i jakby gliny pogrzebały w moim życiorysie, to miałbym spory problem. Grupa zresztą też, bo sporo wiedziałem.

– To już zostaw mnie. Ty jesteś na takie sprawy za głupi – powiedział. I dodał: – Ale musisz się stąd jak najszybciej ukręcić. Tu jesteś spalony. Pojedziesz do Warszawy, mam tam człowieka, który cię zadekuje, a potem będziesz latał dla niego. W sumie dla niego i dla mnie. Tylko nie nawal, przemyśl, co zrobiłeś, i jak ci kiedyś znowu przyjdzie ochota, żeby kogoś odjebać, to rób to z głową. Albo w ogóle się do tego nie zabieraj.

Tak powiedział, a ja następnego dnia wyjechałem do stolicy.

Aha, przypomniałem sobie! Mąż pyta zdziwiony: „Kochanie, dlaczego tak się kiwasz nad panem Leszkiem?". A ona mu na to: „Bo ja dziś dostałam parkinsona, Misiaczku".

## ROZDZIAŁ 16

*Gdy byłem dzieckiem,*
*mówiłem jak dziecko*

„Gdy byłem dzieckiem, mówiłem jak dziecko, czułem jak dziecko, myślałem jak dziecko"...
Znasz to? Na pewno znasz – Pierwszy List Świętego Pawła do Koryntian. Czytałem to w kościele – to jeden z tych tekstów, które znam na pamięć.

Wiesz, kiedy zacząłem zabijać, wmawiałem sobie, że to jest o mnie albo dla mnie. Ale szybko doszedłem do wniosku, że się mylę.

„Gdybym mówił językami ludzi i aniołów, a miłości bym nie miał, stałbym się jak miedź brzęcząca albo cymbał brzmiący" – tak może pisać ktoś, kto nie zna życia. Gdy ja byłem dzieckiem... Kurwa, nie wiem, czy mówiłem jak dziecko. Mówiłem tyle, ile było konieczne, nie mądrzyłem się, nie szpanowałem, a jak chciałem zabłysnąć, wyskoczyć choć trochę do góry, to mnie ściągano za nogi na ziemię.

Czy czułem jak dziecko? Człowieku – byłem jeszcze dzieckiem, kiedy zepchnąłem kumpla z masztu, ale to, co się zaraz potem działo w mojej głowie, na pewno nie miało nic wspólnego z dzieciństwem. Z dorosłością oczywiście też nie. Tamtego dnia wbrew własnej woli zostałem wyjęty z dzieciństwa, ale to, w czym się znalazłem, trudno określić. Przestałem mieć jakikolwiek wiek. I to w sensie dosłownym – potem już zawsze funkcjonowałem na jakichś kwitach, które udowadniały, że mam ileś tam lat, a tak naprawdę miałem albo więcej, albo mniej.

Słuchaj dalej. Święty Paweł pisze: „Kiedy zaś stałem się mężem, wyzbyłem się tego, co dziecięce".

A ja nie mam pojęcia, czy kiedykolwiek stałem się mężem i czy wyzbyłem się tego, co dziecięce. Jako dzieciak nie miałem poczucia, że ktoś dba o moje bezpieczeństwo, a jako tak zwany dorosły – nigdy nie dbałem o czyjeś bezpieczeństwo. Wręcz odwrotnie – każdy nieznajomy był moim potencjalnym celem. Możesz się śmiać, możesz mówić, że naoglądałem się filmów sensacyjnych, ale ja naprawdę widziałem na twarzach ludzi tarcze strzelnicze. Zupełnie jak jakiś Terminator, jak bezlitosny cyborg.

Bo ja jestem bezlitosnym cyborgiem, ale wcale nie uważam, że powinienem się tego wstydzić. Wręcz przeciwnie – dałem w życiu radę! Wyrobiłem w sobie takie mechanizmy, które pozwoliły mi przetrwać najtrudniejszą przeprawę.

Czytałem ostatnio kilka książek o szkoleniu komandosów – śmiać mi się chce, kiedy autor pieje z zachwytu nad twardzielami, którzy muszą taplać się w bagnach, biec przez pustynię czy opuszczać się na linach z wysokich drzew. To jest dobre dla harcerzy! Chciałbym zobaczyć takiego komandosa, choćby z najbardziej elitarnej jednostki na świecie, jak w wieku kilkunastu lat zabija kolegę z klasy, potem masakruje drugiego, po czym wsiada do pociągu i jeździ nim przez kilka lat. Że to niby żadne wyzwanie? Naprawdę?!

Ja wiem, że żołnierze z jednostek specjalnych są mistrzami w kamuflażu, ale niech wyjdą z tej swojej pierdolonej dżungli i niech się zakamuflują w przedziale drugiej klasy relacji Kalisz–Kutno. Tak żeby ich nikt nie zauważył i nie wrzucił do pudła.

Nie daliby rady.

Pamiętaj – kiedy komandos czuje zagrożenie, ma przecież środki łączności i zaraz na ratunek przybywają jego koledzy, tak samo uzbrojeni po zęby, wyposażeni w wozy opancerzone, helikoptery i jeszcze dziwki na deser.

A kiedy ja czułem zagrożenie, mogłem na odsiecz wezwać tylko siebie – przyznasz, że to kiepskie siły wsparcia. Kiepskie, ale jak się okazuje, skuteczne.

Trudno sobie wyobrazić lepsze. Szybko nabrałem zaufania do siebie – ale takiego prawdziwego, sprawdzonego w boju. Wbrew pozorom nie każdy może się tym pochwalić. Ja doskonale wiedziałem, czego się mogę po sobie spodziewać w określonych sytuacjach.

W jednostkach specjalnych uczą techniki uciekania i uników – akurat w tej sztuce jestem mistrzem i mógłbym wyszkolić niejednego komandosa. Zniknąć w dżungli czy w bagnie to nie jest czarodziejska sztuczka. Kilka tygodni ćwiczenia i już to umiesz.

Jednak zniknąć w przedziale, gdy patrzy na ciebie kilka osób, nie ruszasz się z miejsca, a mimo to nikt cię nie widzi, a raczej nie widzi w tobie tego, co ukrywasz przed światem, to jest naprawdę duża rzecz.

A jeśli już ktoś cię wyłowi wzrokiem i zaprowadzi do dżungli – jaki kraj, taka dżungla, mam na myśli nasze laski i parki – i ty go tam położysz trupem, to komandosi powinni ściągać berety z głów.

Nie domagam się hołdów. Sam doskonale wiem, ile jestem wart, choć jedynie ja potrafię docenić tę wartość. Wszyscy inni uważają mnie za zwyrodnialca. Takiego, który miłości nie ma.

Jeszcze jeden cytat: „Gdybym rozdał na jałmużnę całą majętność moją, a ciało wystawił na spalenie, lecz miłości bym nie miał, nic bym nie zyskał".

No to posłuchaj – ja swojego ciała nie wystawiłem na spalenie; ja chciałem je chronić za wszelką cenę. No i co z tego? Jestem gorszy? Jestem jak cymbał brzmiący?

Tak, uratowałem swoje ciało, a miłości nie miałem. Bo gdybym miał, to pewnie byśmy tu teraz nie rozmawiali. Miłość, na szczęście, doskonale wiedziała, że nie ma czego u mnie szukać, więc nawet nie próbowała się do mnie dostać.

I za to ją lubię. Za to, że miała wyczucie...

## ROZDZIAŁ 17

# Warszawa to był inny świat!

Warszawa to był inny świat! Gdy tylko wysiadłem na Centralnym, poczułem, że tu się wydarzy coś dużego. Nawet jeśli nie mnie, to na pewno będę świadkiem grubych spraw.

Oczywiście to nie była moja pierwsza wizyta w stolicy, ale tym razem miałem w niej zamieszkać. A raczej się ukrywać, ale przecież całe moje życie polegało na ukrywaniu się, więc nie miałem poczucia, że trafiam do jakiejś dziupli, że w moim życiu coś się zmienia na gorsze.

Miałem mieszkać u Palmela – to była ksywka kumpla Marko. Znali się od dawna, razem siedzieli, razem wyskakiwali na saksy. Ich znajomość to temat na osobną opowieść, więc nie ma co się na tym teraz skupiać. Powiem ci – większość ówczesnych przestępców miała za sobą takie życie, że można by o nich pisać całe trylogie.

Marko wiedział, że Palmel nie sprzeda mnie psom, a z drugiej strony miał też pewność, że i ja nie nawalę. Umiałem to i owo, więc wiadomo było, że się przydam.

Palmel miał melinę na Kępnej – takiej niewielkiej, szemranej ulicy na Pradze. Milicja czasem urządzała tam naloty na nielegalne kasyno, ale w sumie, jak się wkrótce okazało, było spokojnie.

Czekał na mnie – przywitał jak krewniaka, choć bez przesadnej wylewności. To był potężny, wąsaty gość po czterdziestce – na rękach miał tatuaże i blizny, a na szyi pół kilo złota. Tak dla niepoznaki.

Opierdoliliśmy małpkę czystej, a potem poinformował, że dołączę do ekipy, która zwija fury. To znaczy na razie – taki rodzaj stażu. Jeśli się sprawdzę, to może wskoczę do jakiejś innej wody. Ale na razie samochody to dobry interes, więc nawet jeśli pozostanę przy tym biznesie, krzywda mi się nie stanie.

Przez kilka tygodni mieszkałem w piwnicy na Kępnej – miałem wrażenie, że dzielę lokum z myszami, słyszałem je, ale rzadko kiedy wchodziły mi w drogę. Apartament był parszywy, lecz ja nigdy nie zdążyłem liznąć luksusów, więc podarty materac, chybocczące się krzesło i lampka z żarówką, która prawie w ogóle nie dawała światła, były moim Hiltonem.

Zresztą rzadko tam bywałem – przez większość dnia kręciłem się po ulicach, a wieczorem piłem alkohol z kompanami. Często w knajpach – nie myśl sobie, że unikałem miejsc publicznych. Nawet kilka razy byłem w kinie na jakichś amerykańskich kryminałach. Pamiętam taki tytuł *Ucieczka w noc* – ekstradupa grała jedną z głównych ról. Ja też ciągle uciekałem, tyle że nie zawsze w noc...

Jeśli coś naprawdę robiło na mnie wrażenie, to warszawskie dyskoteki. To już była końcówka lat osiemdziesiątych, w powietrzu czuć było wielką zmianę, a na dyskotekach królował wielki świat. Zupełnie jakbyś trafił do Ameryki.

Kiedy chłopcy od Palmela przekonali się, że dobrze sobie radzę z furami i generalnie jestem równy gość, zaczęli mnie zabierać na dyskoteki. A było wówczas w Warszawie kilka naprawdę fajnych miejscówek: Park, Hybrydy czy Hades.

Na dyskotece można się było świetnie zabawić – napić, pokręcić po parkiecie, wyrwać fajną laskę, a także przyćpać. Wtedy dowiedziałem się, co to takiego amfetamina – robiła w mieście furorę. Dilerzy harowali jak woły, ale utarg mieli naprawdę dobry. Oczywiście musieli część odpalać bramkarzom, ale wszystkim się to opłacało. Bramkarze to byli królowie życia – wywodzili się z warszawskich siłowni i sekcji sztuk walki. Kto im podskoczył, natychmiast tracił zdrowie. I nie zawsze do niego wracał.

Powiem ci, że robota bramkarza na dyskotece to nie była kaszka z mlekiem – chłopaki rządzili, ale czasami dostawali też konkretny wpierdol. Wprawdzie byli napakowani jak konie i umieli się bić, jednak czasami, kiedy przyszła jakaś mocniejsza ekipa, lała się krew. Nie na wszystkich byli mocni.

Zwłaszcza jak na dyskoteki zaczęła przyjeżdżać grupa z Pruszkowa – kilkunastu nabitych karków, którzy nie garnęli się do tańca i mieli tylko jedną ambicję: sponiewierać wszystkich wokół. Zresztą nie byli wyłącznie z Pruszkowa – często pojawiali się w towarzystwie chłopaków z Pragi, niektórych nawet kojarzyłem, ostatecznie mieszkałem na Kępnej, ale mówiło się na nich

Pruszków. Z czasem Warszawa zaczęła się ich bać, bo często bili bez żadnego powodu – po prostu ktoś im się nie spodobał, odpowiedział nie tak, jak oczekiwali, i od razu pięści szły w ruch. Milicja nie wtrącała się, a ochroniarze często byli bezradni i nie interweniowali.

To wtedy poznałem takie ksywki jak Masa, Dreszcz, Kiełbasa, Barabasz – nie wiadomo było, czy są przestępcami po wyrokach, czy po prostu ulicznymi kozakami, którzy szukają zaczepki. Dziś wiem, że to byli gangsterzy, ale wtedy nikt nie traktował ich jak mafiosów, ale jedynie bojówkę, która zjawia się nagle, robi dym i równie szybko znika, pozostawiając po sobie krew, łzy i zgrzytanie zębami.

To było chyba w Parku... Albo gdzie indziej, nie pamiętam.

Nie wiem też dokładnie, o co poszło. W każdym razie jeden z bramkarzy naraził się czymś tym z Pruszkowa. I to chyba na grubo.

Zdaje się, że razem z kumplami dopadł jednego z pruszkowskich i spuścili mu wpierdol. O ile wiem, robili jakieś interesy i ten z Pruszkowa się nie rozliczył. Bo oni z czasem zaczęli razem kręcić jakieś lody, chyba przy prochach, ale nie jestem pewien. To zresztą nie ma teraz większego znaczenia.

Chodzi o to, że przyszli się zemścić, i to naprawdę dużą ekipą – przyjechali w kilka samochodów, w tym jednym mercedesem, i weszli jak po swoje. Nawet bramkarze nie próbowali ich zatrzymywać. Akurat siedziałem przy barku z jedną laską i piliśmy whisky z colą – gdy zacząłem ją bajerować, mówiąc, że ma nogi do nieba i cyce jak donice, usłyszałem huk. Któryś z pruszkowskich jebnął kijem bejsbolowym w bufet, a potem napieprzał przez dobrą minutę i wytłukł chyba wszystkie butelki. Szkło poleciało na tę moją ślicznotkę, rozcinając jej skórę na buzi. Zerwałem się na równe nogi i krzyknąłem: „Co jest, kurwa?!", ale natychmiast znalazłem się na podłodze, bo popchnął mnie jakiś byczek i syknął: „Siedź, pizdo, na dupie albo ci urwę łeb".

Po czym wyciągnął komin z kieszeni i przystawił mi do głowy. Zrobiło mi się zimno – na rękaw mojej białej koszuli kapały krople krwi dziewczyny, a ja myślałem tylko o tym, czy facet do mnie strzeli. Nie strzelił.

Jednak zaraz potem usłyszałem strzały. Okazało się, że bramkarz, którego szukali, wyskoczył z jakiejś pakamery z pistoletem i próbował przebić się do drzwi. Walił w sufit, aż się tynk sypał po ludziach.

Oni od razu go dostrzegli i zaczęli napieprzać do niego z kominów. Wiem, że trafili kolesia w nogę, ale jakoś się wykręcił. Kiedy zniknął, Pruszków mógł już tylko kontynuować demolkę – chłopcy byli bardzo wkurwieni, że nie dojechali frajera, tylko jedynie trochę go otworzyli. Wiem, że kilka dni później dopadli go i wywieźli do lasu. Nikt nigdy go potem nie widział.

Ale ja nie o tym chciałem... Kiedy już wszystko w miarę ucichło, podszedł do mnie ten, który trzymał mnie na muszce, i zapytał: „Ty jesteś od Palmela?".

Skinąłem głową. Panienki już oczywiście nie było, bo dała w długą, jak tylko ocknęła się z szoku.

– Jeden z jego chłopaków mi ciebie pokazał. Dobrze, że ci nie wyjebałem w dyńkę, bo podobno nieźle sobie radzisz. Szkoda by cię było.

Nie wiedziałem, o co mu chodzi, ale znów przytaknąłem – okazało się, że razem z nimi był gość, który załatwiał Palmelowi lewe dowody rejestracyjne. Kojarzył mnie, chociaż nie znaliśmy się dobrze.

– Jak chcesz, to możesz latać dla nas – powiedział.

– Dla was, czyli dla kogo? – spytałem.

Popatrzył na mnie jak na idiotę.

– No, dla miasta – uśmiechnął się ironicznie.

– Robię dla Palmela, nie wiem, czy mogę... – wydukałem.

– Palmel jest z nami, nic się nie przejmuj. Zostaniesz u niego na chawirze, wszystko będzie po staremu, ale czasem pójdziesz z nami na robotę. Palmel dostanie z tego działkę, pasuje?

Skinąłem głową po raz trzeci. Pomyślałem, że właśnie wskoczyłem na głęboką wodę. I albo się utopię, albo zostanę olimpijczykiem.

## ROZDZIAŁ 18

*Często zastanawiam się nad tym,*
*czy dziś potrafiłbym stanąć*
*przed ołtarzem*

Często zastanawiam się nad tym, czy dziś potrafiłbym stanąć przed ołtarzem i mając za sobą krzyż, a przed sobą tłum ludzi przeczytać im coś z Pisma Świętego. Oczywiście to, że z tyłu byłby ołtarz i tabernakulum, a w nim chleb eucharystyczny, nie miałoby dla mnie żadnego znaczenia. Z wiarą rozstałem się dość dawno temu i wcale nie jestem pewien, czy kiedykolwiek byłem z nią jakoś szczególnie blisko. Normalni ludzie rzadko kiedy zastanawiają się nad intensywnością swojej wiary – chodzą do kościoła, noszą medaliki na piersiach, chrzczą dzieci, przyjmują komunię, chowają swoich bliskich z kościelnym ceremoniałem i to im wystarczy. Ja tego, broń Boże, nie krytykuję – może właśnie na tym polega wiara, żeby przestrzegać rytuałów i za bardzo się nimi nie przejmować. Jednak w więzieniu człowiek ma bardzo dużo czasu – wtedy zaczyna myśleć o różnych dyrdymałach, stawia sobie pytania, jakie nie przyszłyby mu do głowy na wolności. A ja jestem w tej szczególnej sytuacji, że już nigdy nie wyjdę z puszki, nigdy nie będę spacerował po ulicach i nigdy nie położę się we własnym łóżku. Nie myśl, że tego żałuję – żyłem zupełnie inaczej niż większość ludzi, dlatego to, co mnie spotkało, stanowi dla mnie normalność. Przecież nie wyobrażasz sobie, że mógłbym mieć jakąś żonę, jakieś dzieci, jakieś stanowisko w poważnej firmie... Tu, w więzieniu, jest moje środowisko naturalne, ale oczywiście czasem przychodzi mi do głowy, że chciałbym przejść przez park, który znajduje się kilkaset metrów od więzienia, a ja widzę korony jego drzew. Potem jednak tłumaczę sobie, że skoro widzę te drzewa, to tak, jakbym był w parku, a poza tym ja już się nachodziłem po parkach i lasach. Nawet niejeden użyźniłem, zakopując w nim ofiary.

Wróćmy jednak do mojego pytania: czy potrafiłbym dziś przeczytać ludziom w kościele fragment Pisma Świętego. Skoro twierdzę, że świętość miejsca i obecność tabernakulum nie mają dla mnie żadnego znaczenia, to czemu miałbym mieć problem z przeczytaniem świętej księgi? To może inaczej – czy potrafiłbym stanąć w kościele i przeczytać ludziom jakiś artykuł z gazety? Na przykład coś z działu sportowego. Nie, kurwa, tego sobie nie wyobrażam. No bo jednak w kościele nie czyta się takich rzeczy. Czy to znaczy, że wciąż jeszcze umiem odróżniać dobre od złego albo właściwe od niewłaściwego? Myślę, że tak...

W moim pytaniu chodziło o coś innego – o to, czy mógłbym spojrzeć ludziom w twarz i wygłosić im dobrą nowinę. I powiem ci: nie, nie mógłbym. Słowa nie wyszłyby mi z gardła.

Bo marzyłbym tylko o jednym: żeby napluć im w te głupie mordy...

Chłopcy z miasta szybko zorientowali się, że można na mnie polegać. Byłem – a raczej starałem się być – ostrym chłopakiem i żaden włam nie przerastał moich możliwości. Zaczęli mnie zabierać na grubsze roboty niż zwijanie fur – powiem nieskromnie: marnowałem się, wchodząc do maluchów i poldków, choć kasa z tego była całkiem przyzwoita. Ale wiesz, to były czasy, kiedy mercedesy na polskich ulicach stanowiły rzadkość, a jak już się pojawiła jakaś S-klasa, to przeważnie należała do kogoś, komu raczej się jej nie kradło. Często nie zwijało się auta, bo nadawało się wyłącznie na złom, ale wyjmowało się radio – wtedy to była wyjątkowo prosta robota, a na bazarze nabywcy stali w kolejce.

No, ale sam rozumiesz – człowiek się rozwija i potrzebuje coraz większych wyzwań.

Wtedy wyższą złodziejską półkę stanowili klawisznicy – złodzieje mieszkaniowi. Może i w PRL-u żyło się biednie, ale byli ludzie, którzy mieli siana jak lodu. Mówię o tak zwanej prywatnej inicjatywie, czyli badylarzach czy plastykarzach – drobnych przedsiębiorcach, którzy według większości Polaków równali się z Rockefellerami. Jedni hodowali coś pod szkłem, inni robili plastikowe zabawki, jeszcze inni – rzemieślnicze części zamienne do samochodów, bo oryginalnych, oczywiście, brakowało. Ich produkty schodziły jak ciepłe bułeczki.

Wiadomo było, że nie trzymają swoich pieniędzy w bankach, tylko w prześcieradłach, więc ten, kto się włamał, miał stosunkowo łatwą robotę. No i naprawdę fajny zysk.

Pewnego razu chłopcy wzięli mnie na skok do willi jubilera – słowo „willa" jest tu nieco na wyrost; to był taki typowy gomułkowski klocek, ale Kowalski postrzegał go jako pałac. Szczególnie że Kowalski wyobrażał sobie, że w środku są marmury, baseny, kolorowe fontanny, perskie dywany i dużo złota. No bo jubiler kojarzy się z przepychem, prawda?

Na robotę rzadko zabieraliśmy klamkę, ale tym razem byliśmy uzbrojeni – miałem w kieszeni jakąś rozpadającą się tetetkę z przedpotopowego demobilu, ale sprawną. Dostałem ją, bo chłopcy wiedzieli, że mam na koncie głowę (nie wiedzieli, że tych głów było całkiem sporo) i gdyby doszło co do czego, użyję jej bez mrugnięcia okiem. A może byli pewni, że żadnego strzelania nie będzie, i dali ją najmniej doświadczonemu? Strzelać, oczywiście, umiałem, ale nie miałem w tym względzie żadnej praktyki.

Jak było, tak było.

Weszliśmy do jubilera w nocy – wiedzieliśmy, że wyjechał na wakacje i w domu nikogo nie powinniśmy zastać. Ówczesne zabezpieczenia to była żadna przeszkoda – weszliśmy jak w masło, ale na miejscu okazało się, że w szafie z pościelą nie ma żadnych skarbów. W gabinecie jubilera stał natomiast sejf, z którym nie umieliśmy sobie poradzić.

Po godzinie uznaliśmy, że trzeba się wycofać i wrócić za jakiś czas ze specem od rozpruwania takich sprzętów. I kiedy już byliśmy przy oknie, żeby spuścić się po linie w dół, nagle nie wiadomo skąd wyskoczył jakiś starszy facio z myśliwską dubeltówką w ręku i zaczął drzeć mordę, że niby mamy się kłaść na ziemię, a on zaraz wezwie policję. Po jakimś czasie dowiedziałem się, że to szwagier jubilera – pilnował mu chaty i nawet dostawał za to jakieś pieniądze. Chyba był nieco wlany.

Kiedy skierował lufę w stronę jednego z moich kompanów, spokojnie wyjąłem tetetkę, przeładowałem i strzeliłem mu w klatkę piersiową. Zupełnie jak na filmie – strzeliłem bez żadnych emocji, pewną ręką, po prostu wyeliminowałem pionka z gry. Tak jak to robiłem wcześniej, tyle że po raz pierwszy z broni palnej. Nie sądziłem, że obsługa pistoletu jest tak prosta i tak skuteczna. Pyk – pionek leży na szachownicy. Pyk i pionek odlatuje do nieba.

Było na tyle ciemno, że nie zauważył, jak wyciągam broń, zresztą był tak obsrany, tak mu się trzęsły ręce, że pewnie nie do końca wiedział, co się dzieje. Nie widziałem jego miny – do dziś mnie nurtuje, czy od razu zamknął oczy, czy też je wybałuszył, chcąc ustalić, skąd padł strzał. Nurtuje, ale nie męczy...

Więc gdybym jednak stanął przed tymi ludźmi w kościele i miał im coś powiedzieć, to usłyszeliby: Polonia Bytom–Zagłębie Sosnowiec 1:0, Piast Gliwice–Górnik Zabrze 2:2, ROW Rybnik–Ruch Chorzów 0:0, oto słowo Boże, frajerzy!

Szczęki by im poopadały!

## ROZDZIAŁ 19

*Ale to już był początek lat
dziewięćdziesiątych...*

Ale to już był początek lat dziewięćdziesiątych...
Z dnia na dzień zabrakło milicji, przepraszam
– policji, bo firma zmieniła nazwę. Żeby było bardziej
światowo, po zachodniemu. Nie tylko zresztą nazwa
– wszystko się zmieniło, przede wszystkim ludzie. Starzy milicjanci poznikali, no, może nie wszyscy, ale na
pewno ci, którzy w latach osiemdziesiątych ganiali po
ulicach z pałkami, a tych było bardzo wielu. Pojawi-
li się młodzi. Tacy, którzy bali się podejść do gościa,
który ich zdaniem mógłby mieć coś wspólnego z prze-
stępczością. Ani toto nie miało jaj, ani broni, ani przy-
zwoitych pieniędzy. Dlatego nie szukali przestępców,
tylko zamykali się na cztery spusty w komisariatach
i gryzmolili jakieś raporty dla przełożonych. Po prostu
ich nie było.

A na ulicach – hulaj dusza. Lała się krew, słychać było
strzały, zwykli ludzie spierdalali do domów, byle tylko
nie stać się przypadkową ofiarą jakiejś rozpierduchy.

Wtedy po mieście krążyli różni dziwni zabójcy – na-
padali na domy zamożnych ludzi, mordowali staruszz-
ków i znikali bez śladu. Czasami nawet niczego nie

zwijali – wystarczyło im zamęczyć delikwenta, przypalić go grzałką, podziabać trochę tasakiem... Chuj wie, kto ich nasyłał, kto im podpowiadał adresy. Pamiętam, że gazety bardzo się tym emocjonowały – że niby jest jakaś grupa wyspecjalizowana w napadach na starych, zamożnych warszawiaków.

Pamiętasz, jak zabili byłego premiera i jego żonę? Jak on się nazywał? Jaroszewicz, a jego żona jakoś inaczej, nie pamiętam. To była wczesna jesień 1992 roku, mniej więcej ten sam czas, kiedy odjebałem tego szwagra jubilera. Weszli w nocy do jego domu w Aninie, udusili go paskiem od sztucera, a jej strzelili w głowę. Chyba nic nie ukradli...

Zatrzymali jakichś podejrzanych, dostali sankcję, ale nic na nich nie znaleźli. Bo to pewnie nie byli oni – mówiło się, że Jaroszewicz znał jakąś tajemnicę z czasów II wojny światowej i dopadła go przeszłość. Może to Ruscy wysłali swojego kilera ze specnazu? Nie wiem, za głupi na to jestem. Chodzi mi tylko o to, że skoro niewyjaśnione pozostały nawet tak głośne zabójstwa jak śmierć premiera, to kto szukałby sprawców tak drobnej sprawy jak ta moja? Podejrzewam, że policja wychodziła z następującego założenia: jest czas przemian, rodzi się nowa rzeczywistość, tylko mocni przetrwają, a chwasty muszą zwiędnąć. Natura sama przeprowadza proces porządkowania świata.

Nie twierdzę, że nie było żadnego śledztwa – było, nawet kogoś zatrzymano, należał do naszej ekipy, ale to doświadczony gangster, po wielu wyrokach, więc się na nas nie rozwalił. Nie potrafili go odpowiednio podejść...

Jak mu zagrozili sądem i więzieniem, to się zaczął śmiać, bo dla niego chliw to był dom, z którego wyskoczył na wakacje i do którego już bardzo chciał wracać. Ale psy węszyły w naszej okolicy, więc Palmel wziął mnie kiedyś na rozmowę i powiedział:

– Słuchaj, musisz się wystawić z Polski. Na chwilę, tak żeby przycichło. Nie bój nic, psy pokręcą się przy nas i w końcu sobie odpuszczą. Mało to dziadków traci życie każdego dnia? Jakby tak chcieli dochodzić sprawiedliwości w sprawie każdego trupa, toby im nie starczyło czasu do końca świata. Przecież oni też mają swoje żony i dzieci, oni też chcą się napić wódki z kolegami i nie będą siedzieć po nocach w robocie tylko po to, żeby złapać ciebie czy mnie. Oczywiście, jak im będziesz defilował przed oczami, to się w końcu wkurwią i założą ci obrączki. A jak znikniesz, zaraz o tobie zapomną.

Koniec końców ustaliliśmy, że jego kumpel przerzuci mnie swoim mercedesem do Reichu, gdzieś do Zagłębia Ruhry. Granice wtedy były jeszcze pozamykane, ale ten facet miał dobre układy z celnikami, bo ciągle coś przemycał do Polski, więc kontroli nie musiałem się obawiać. Zresztą paszport też dostałem. Tym razem na nazwisko Janusz Nowak. Kurwa, nie wiem, kto tego Janusza Nowaka wymyślił!

Przed samym wyjazdem Palmel powiedział jeszcze:

– Ty to, kurwa, kozak jesteś. Daleko zajdziesz...

## ROZDZIAŁ 20

*Ale zanim dojechaliśmy do Essen...*

Ale zanim dojechaliśmy do Essen, już wiedziałem, że będę zarabiał na życie we Francji. Ten człowiek, z którym jechałem – miał na imię Darek – powiedział, że owszem, w Reichu można zgarnąć sporo siana, ale to jest raczej robota zespołowa. A jeśli ja jestem typem samotnika, to powinienem kopnąć się na Lazurowe Wybrzeże i tam poszukać szczęścia. Nie będzie trudno, powiedział, wystarczy wyczuć, kto ma forsę, i odpowiednio uderzyć. A przecież zawsze widać, czy ktoś ma hajs, czy jest pusty w ryj, no nie?

Powiedział mi: „Jubilerów nie będziesz obrabiał, bo jesteś na to za cienki, tam mają takie zabezpieczenia, że niejeden kozak by odpuścił, ale jak ktoś wyjdzie ze sklepu z finglami na łapach, to już go możesz oskrobać. Znam chłopaków, którzy tylko z tego żyją – zdejmą fanty z frajerni dwa, trzy razy w miesiącu i mają życie jak w Madrycie. Co ci szkodzi spróbować? A jak wpadniesz, to pójdziesz na dwa lata do francuskiego pierdla i też nie będziesz miał krzywdy”.

Spodobała mi się ta koncepcja – praca na Lazurowym Wybrzeżu, nieważne jaka, wydawała mi się bardzo kusząca. Skoro przez tyle lat nie wpadłem, to czemu miałbym pójść do kicia akurat we Francji? Wierzyłem w swoje możliwości, choć praca na zupełnie obcym terytorium, w totalnie innych realiach i wśród ludzi mówiących nieznanym mi językiem napawała mnie nieco lękiem. Ale ciekawość zwyciężyła.

Przekimałem trzy noce w Essen, dostałem od Darka trochę marek – oczywiście obiecałem, że zwrócę wszystko co do feniga, ale, prawdę mówiąc, nigdy nie było okazji, żeby pieniądze oddać – i pojechaliśmy do Metzu, czyli na północ Francji.

Tam się pożegnaliśmy, a ja wsiadłem w pociąg do Nicei.

Wiesz, to było duże przeżycie – pierwsza podróż pociągiem za granicą. To miało się nijak do jeżdżenia tymi naszymi obsranymi taradajkami. Siedziałem rozparty wygodnie na swoim miejscu i przypominałem sobie moje pierwsze nocne trasy z jednego końca Polski na drugi. I ten stęchły zapach wagonu, który był przecież moim mieszkaniem...

Nawet przez chwilę zastanawiałem się, czy nie usiądzie obok jakiś wyfiokowany gość i nie zacznie mi pierdolić za uszami, jaki to ze mnie miły, samotny chłopiec i on chętnie zaprosi mnie na ciastko. Mógłbym sobie zafundować francuski chrzest bojowy. Ale nic takiego się nie wydarzyło – gdy przyszedł konduktor, pokazałem mu bilet, on coś machnął na nim długopisem i na tym skończyły się emocje.

W Nicei przespałem się w jakimś parku, a rano ruszyłem dalej – do Cannes, tak jak mi poradził Darek. Powiedział: „Do Cannes przyjeżdżają same grubasy

– mają forsy jak lodu i całymi godzinami siedzą w sklepach z biżuterią i w butikach modnych firm odzieżowych. Ważne jest to, że w Cannes tracą samokontrolę – uważają, że są panami świata i nic im tam nie grozi, bo przecież na każdym kroku węszą psy po cywilnemu i ochroniarze. Tymczasem nikt aż tak bardzo się nimi nie przejmuje – w ciemnej uliczce łatwo ich rozebrać ze złota i diamentów".

Cannes zrobiło na mnie wrażenie, szczególnie ten nadmorski bulwar. Jak on się nazywał? Chyba La Croisette, tak, na pewno – La Croisette. Palmy, pałace, sportowe limuzyny i ludzie o mordach milionerów. Może nawet gwiazdy filmowe, ale tego nie jestem pewien, bo nie kojarzyłem wtedy zbyt wielu aktorów. Wzdłuż plaży eleganckie bary, przy stolikach goście pijący szampana i palący cygara. A w ich towarzystwie nieustannie roześmiane blond piękności. Trochę podobne do tych lasek z gdańskiego Monopolu sprzed lat. Podobne, ale jednak w innym stylu, z innej ligi.

Zupełnie jak w jakimś kiczowatym filmie. W każdym pałacu luksusowy hotel, a w lśniąco białych kamienicach – sklepy z diamentami. Świat, po prostu świat.

Uznałem, że nie mogę za często kręcić się po centrum Cannes, bo ktoś w końcu zwróci na mnie uwagę i będzie przypał – najpierw muszę znaleźć lokum, z dala od eleganckich dzielnic, a potem przyjeżdżać na robotę. I jeśli uda mi się coś zwinąć, od razu znikać.

Cannes nie jest duże – wystarczy pojechać kilka kilometrów na północ, a już kończy się wielki świat i zaczyna prowincja. Miałem szczęście – w lesie znalazłem jakąś rozsypującą się chałupę z białego kamienia.

Widać było, że od dawna nikt do niej nie wchodził – nie wyczuwałem też moczu, czyli nawet przypadkowi przechodnie nie korzystali z tej „willi" jako z kibla. Zabawne, bo jakieś dwieście metrów wcześniej stały piękne rezydencje z basenami, wyjebane w kosmos wille, a tu przechodziło się jakąś niewidzialną granicę i trafiało do gorszego świata. Czyli byłem w domu.

Postanowiłem mieszkać tam tak długo, jak tylko się da. Dach wydawał się solidny i choć budynek nie miał drzwi, całość sprawiała całkiem przyzwoite wrażenie.

Co najważniejsze – dom był doskonale ukryty wśród drzew, więc nie przykuwał niczyjej uwagi. Mówiąc krótko: był, a tak jakby go nie było.

Chłód mi nie groził, bo akurat zaczynało się lato i temperatura za dnia sięgała trzydziestu stopni. Okazało się, że noce są niewiele chłodniejsze – mogłem spać w całkiem znośnych warunkach. Oczywiście, gdyby moje życie wyglądało inaczej, gdybym był przyzwyczajony do większego komfortu, pewnie bardzo bym cierpiał i szybko bym zrezygnował z tego lokum. Potem pewnie wyjechałbym z Cannes. Ale ja, półdzikie zwierzę, czułem się tam jak w swoim żywiole, a przede wszystkim wiedziałem, po co przyjechałem do Cannes. Po pieniądze, po dużo pieniędzy.

Postanowiłem, że zacznę działać już następnego dnia.

Jeśli dzień w Cannes robi na zwykłym śmiertelniku piorunujące wrażenie, to co dopiero wieczór! Słońce zachodzi, odbija się różowo na tafli morza, do portu zawijają jachty, po bulwarze suną takie limuzyny, jakich nie zobaczy się nigdzie indziej, z luksusowych hoteli wychodzą wysztafirowane pary i zlewają się z tłumem na La Croisette. W eleganckich sklepach zaczyna się ruch – sprzedawcy zdejmują z witryn biżuterię i podają podstarzałym klientkom, którym się zdaje, że ciągle mają dwadzieścia lat. I ten zapach... kawy, koniaku, cudownych perfum i chuj wie czego jeszcze.

Przepraszam, trochę odpłynąłem...

Uwierz mi – to był najpiękniejszy dzień w moim życiu. Ja, prosty zabójca z Pyskowic, chłopak wyciągnięty ze śmietnika, nagle znalazłem się pośrodku raju i ktoś gdzieś wysoko szeptał do mnie: „Ty też możesz być jego częścią. Nie spierdol tego, a twoje życie odmieni się na zawsze".

Ktokolwiek to był, słusznie gadał!

Szedłem zauroczony bulwarem, ale już zaczynałem kombinować, jak tu wyrwać trochę siana. No bo ostatecznie nie przyjechałem tu po to, żeby modlić się do możnych tego świata, tylko ich oskubać. A jak będzie trzeba – wysłać do piachu. Szybko zorientowałem się, że na głównej promenadzie niczego nie zdziałam – jasno jak w dzień, tłum coraz większy, lecz nie na tyle gęsty, żeby dać pole do popisu kieszonkowcowi.

Skręciłem w jakąś boczną uliczkę – wystarczająco ciemną, żeby móc spokojnie dać komuś w łeb i bezpiecznie oddalić się z miejsca zbrodni – i usiadłem na chodniku, wypatrując szansy. Na rogu, tuż przed jakimś wspaniałym pałacem, znajdował się niski biały pawilon. Nad wejściem błyszczał napis „Dior". Wprawdzie na modzie nie znałem się ani trochę, zresztą do dziś nie lubię wyfiokowanych pajaców, ale ta nazwa coś tam mi mówiła – wiedziałem, że są takie perfumy, więc uznałem, że trafiłem pod właściwy adres. Im bardziej znana marka, tym większa szansa na to, że interesują się nią bogaci klienci.

I teraz, uważaj, jest taka akcja... Pod sklep Diora, ale od bocznej uliczki, podjeżdża biały jaguar – XJ 12, taka sztuka, że aż mi przeszły ciarki po plecach. Wprawdzie po Cannes jeździły same eleganckie fury, ale ten jaguar był wyjątkowy. Zatrzymał się, szofer otworzył tylne drzwi i ze środka wygramolił się jakiś dziadek, przesadzam, starszy gość po pięćdziesiątce i jego kobita. On jak Blake Carrington z serialu *Dynastia*, odpicowany, w czarnym gajerze z kremowym krawatem, a ona – taka typowa nastolatka pod sześćdziesiątkę ze zrobionymi u chirurga ustami, w różowym żakiecie i z naszyjnikiem na biuście. I oczywiście idą do Diora, ale tylko na chwilę, żeby naładować akumulatory, a potem wychodzą i kierują się do jubilera, kilka kroków dalej. A szofer rusza w stronę promenady zapalić fajkę. Jest dobrze.

Stoję w pewnej odległości od szyby jubilera i obserwuję – facio nawija ze sprzedawcą, coś mu tłumaczy, a po chwili ona włącza się do dyskusji. Sprzedawca szeroko się uśmiecha, otwiera witrynkę i coś z niej wyciąga. Coś bardzo małego, być może brylant. A może kondom ze złotymi nitkami. Nie mam pojęcia. W każdym razie babeczka patrzy na to cudo, kręci głową, coś jej nie pasi, chyba nawet zaczyna się awanturować. Ale nie jestem pewien – może po prostu mówi podniesionym głosem. Po chwili sytuacja robi się coraz lepsza. Oczywiście dla mnie. Facet zostaje w sklepie i kontynuuje dyskusję ze sprzedawcą, a babeczka wychodzi na dwór. Wyciąga z torebki papierosa – pamiętam, że dunhilla, bo to był ostatni i wyrzuciła paczkę na chodnik, prawie pod moje nogi – zapala i idzie wolnym krokiem w stronę ciemności. Zastępuję jej drogę, wyciągam nóż i pokazuję palcem i na torebkę, i na naszyjnik. Ona zaczyna się drzeć wniebogłosy, widać, że nie przywykła do takich sytuacji, więc szybko kładę jej dłoń na ustach, trzonkiem kosy walę kilka razy w głowę, by się uspokoiła, po czym wyrywam torebkę i szarpię za naszyjnik. Mam pierwsze fanty! Udało się. No, niezupełnie, bo babka zrywa się z chodnika i choć krew zalewa jej czoło, próbuje mnie zatrzymać. Ostra dziunia, muszę przyznać; nie doceniłem przeciwnika.

I znów drze się, jakby obdzierano ją ze skóry. A przecież ja ją obdarłem tylko z rzeczy nabytych. Ten jej facio na pewno kupi jej dziesięć takich torebek i piętnaście naszyjników. Syczę jej do ucha: „Zamknij ryj, stara kurwo", a ona patrzy na mnie z niedowierzaniem i pyta: „Polak?".

„Polak" – odpowiadam i czuję, że zaczynam tracić kontrolę nad całym zdarzeniem. Zupełnie jakby mi dała paralizatorem po jajach.

„Już ja cię, chujku, urządzę, zaraz tu będzie polis, a ty pójdziesz do prezą, do wię-zie-nia" – ryczy na cały głos i zaciska dłonie w pięści. Trafiła mi się jakaś polonuska, której się powiodło na obcej ziemi – wyrwała sobie milionera albo innego prezesa i teraz odpierdala gwiazdę filmową.

Przejechałem jej nożem po szyi – od razu przestała się drzeć. Padła z łoskotem na glebę, a ja dałem w długą.

To była bardzo łatwa robota. Rzecz w tym, że nie wiedziałem, jak spieniężyć naszyjnik – uznałem, że zakopię go koło mojej rudery i będę czekał na okazję. I tak zrobiłem. Pieniędzy w torebce nie było za wiele, wystarczyło na tydzień skromnego życia. Bardzo skromnego. Ale jednak na Lazurowym Wybrzeżu.

## ROZDZIAŁ 21

*I nigdy więcej tego naszyjnika*
*nie widziałem*

I nigdy więcej tego naszyjnika nie widziałem... Uznałem, że i tak go nigdzie nie opylę, a chodzić z nim po ulicach – strach. Jak mnie zatrzymają i znajdą tę pieprzoną błyskotkę, to zaraz mnie zawiną i będzie szlus. Tak więc zakopałem go, a potem już nigdy więcej go nie widziałem. Pewnie jest tam do dziś, chyba że dziki wykopały albo inne jelenie.

Na jakiś czas wyjechałem z Cannes, bo przyszło mi do głowy, że w mniej znanych kurortach będzie łatwiej obrabiać ludzi. Wprawdzie w innych miejscowościach nie będzie tylu grubasów co w Cannes, tylko zwykli turyści, ale przynajmniej z portfelami w portkach. Bo grubas nie nosi przy sobie siana – trzyma je w sejfie, a jak kupuje coś u jubilera, to pewnie inaczej się rozlicza. Coś tam podpisuje albo i nie podpisuje, bo ma bogactwo wymalowane na pysku i każdy wie, że na wszystko go stać. Tak wówczas myślałem i chyba się nie pomyliłem.

Kopnąłem się do Antibes – jeśli spytasz, dlaczego akurat tam, odpowiem: bo taki miałem kaprys. Krótka podróż. Jechałem pociągiem bez biletu i czekałem, aż pojawi się konduktor. Wiedziałem, że się zbliża, ale postanowiłem sprawdzić swoje nerwy. W Antibes nie wytrzymałem i wysiadłem. Czemu nie kupiłem biletu? Nie chciałem, żeby zaczęto gadać, że po okolicy kręci się jakiś młody facet, który nie zna francuskiego i tak naprawdę chuj wie, czego szuka na Lazurowym Wybrzeżu, a na pewno nie przypomina dziecka milionera.

Może to były nieuzasadnione obawy, ostatecznie wyglądałem jak tysiące zagranicznych studentów, którzy podróżują po południu Francji, ale ja zawsze byłem ostrożny. Odważny też, ale bardziej ostrożny. Ostrożność zaprowadzi cię o wiele dalej niż odwaga. Odważny pięknie umiera, a ostrożny żyje i pieprzy piękne laski. Wybieram to drugie.

W kieszeni miałem trochę franków, ale to były środki na chwilę – musiałem jak najszybciej zdobyć siano. Wierzyłem, że w tłoku turystów, którzy nie przyciągają niczyjego wzroku, bo ani nie są ubrani jak tamci w Cannes, ani nie przyjeżdżają jaguarami, tylko autobusami czy pociągami, zadanie będzie proste.

Najlepiej byłoby wyciągnąć komuś portfel i zniknąć, ale jeśli nie pojawi się taka możliwość, zadźga się gościa i... też się zniknie.

Dworzec kolejowy w Antibes znajduje się tuż obok mariny – do miasta doszedłem wzdłuż plaży. Po dziesięciu minutach byłem na starówce – całkiem fajna, atmosfera zupełnie inna niż w Cannes. Ludzi od pyty, a jednak o wiele spokojniej, normalniej, bez tego wielkoświatowego zadęcia. Więcej rodzin i starych małżeństw.

Owszem, policjanci kręcili się po okolicy, ale wyglądali na zmęczonych upałem i nie interesowali się turystami. Byli, bo byli, taką mieli rolę.

Przez pół godziny spacerowałem wzdłuż i wszerz, po czym usiadłem w barze na jakimś szerokim placu pod wielkim drzewem, chyba platanem, i zamówiłem coca--colę. Po chwili kelner przyniósł mi buteleczkę i szklankę z lodem, a ja mu dałem, o ile dobrze pamiętam, pięć franków.

No więc tak sobie siedzę i patrzę na ludzi; zastanawiam się, kto z nich ma najgrubszy portfel. Gdy przy którymś stoliku przychodzi do płacenia, zamieram i wbijam wzrok w płacącego. Wtedy nie było jeszcze kart płatniczych, więc wszyscy płacili żywą gotówką. Ale trudno było się zorientować, kto jest naprawdę zamożny – nikt nie wyciągał z kieszeni zwitka banknotów, tylko pojedyncze papierki. Po czterdziestu minutach obserwacji miałem już jednak pewne wyobrażenie o ludziach – jeden płacił bez szemrania i zostawiał napiwek, a inny patrzył tępo w rachunek i dopiero wtedy, z ociąganiem, sięgał po kasę.

Ale czy to znaczy, że ci drudzy byli biedniejsi? Niekoniecznie – jak nagle zaczynasz zarabiać dużo hajsu, to stajesz się mniej wyrywny, żeby go tracić. Z trudem zarobiłeś, polubiłeś mamonę i nie chcesz się z nią rozstawać. Logiczne. A ten, kto groszem nie śmierdzi, bardzo się stara, aby inni poczuli ten smród – płaci szerokim gestem, bo to dla niego jedyna okazja, żeby się wyrobić na króla życia.

Moją uwagę przykuł pewien gość dwa stoliki dalej – paskudna morda, kiepsko ubrany, widać, że burak z prowincji, ale zamawiał danie za daniem, drink za drinkiem. Co chwila wołał kelnera, pokazywał na talerz i robił taką minę, jakby musiał zjeść żabę. Nie potrzebowałem znajomości francuskiego, aby się zorientować, że gość coś kombinuje – niby nic mu nie pasuje, a jednak ciągle coś wpierdala. I potem wybrzydza.

W końcu wstał i ruszył przed siebie, mimo że nie zapłacił. Po prostu chciał wyjść, zniknąć. Już się przecież nasycił. Doskoczył do niego kelner, złapał go za chabety i zaczął coś do niego mówić. Na pewno domagał się uregulowania rachunku. A klient tylko pokręcił głową, wywinął się i błyskawicznie dał w długą. Kelner zagwizdał i nagle pojawiło się przy nim kilku innych kolegów – zbiegli się niemal ze wszystkich okolicznych barów i ruszyli za zbiegiem. Spodobała mi się ta solidarność – niby pracują u konkurencji, ale jak pojawia się ścierwo, to wzajemnie je tępią. Gdyby zainstalował się w innym barze i odstawił ten sam cyrk, także wszyscy ruszyliby z pomocą.

Również ja wstałem od stolika – przypominam, że wcześniej uregulowałem rachunek, więc mogłem – i poszedłem w stronę ulicy, którą pobiegli uciekinier i pogoń.

Usłyszałem jakieś krzyki, a potem zobaczyłem wracających kelnerów – jedni byli wciąż wzburzeni, a inni roześmiani od ucha do ucha. Zacierali ręce.

Co się okazało? Dopadli gościa tuż przed wyjściem na nadmorską promenadę, dali mu ostry wpierdol i wrzucili go do jakiejś bramy. Po śladach krwi poznałem, gdzie się aktualnie znajduje. Leżał zwinięty w kłębek na kamiennej posadzce i ciężko dyszał. Z twarzy płynęła mu krew.

Cichutko podszedłem do niego, podniosłem jego głowę za włosy, po czym cisnąłem nią o glebę. Stracił przytomność. A może ja ten brak przytomności jedynie pogłębiłem?

Nie sądzę, bym go zabił. To nie było aż tak mocne uderzenie. A nawet jeśli się zdarzyło, że tego dnia rozstał się z życiem, to raczej od wpierdolu, jaki obskoczył od kelnerów.

Co mi się jeszcze spodobało u pracowników tamtejszej gastronomii – nie zabrali mu pieniędzy, które spoczywały luzem w tylnej kieszeni spodni. Nie było tego zbyt dużo, ale wystarczyłoby na kilka dobrych obiadów. Dobrych, to znaczy z deserem, ale bez zupy.

Kelnerzy wymierzyli karę, przyznam – surową, ale kasy już nie wzięli. Byli z gościem kwita.

A może go po prostu nie obszukali?

## ROZDZIAŁ 22

# Kiedyś wszystko było łatwiejsze

Kiedyś wszystko było łatwiejsze... Albo trudniejsze – zależy, jak patrzeć. Nie było kart płatniczych, nie było bankomatów. To znaczy wtedy, kiedy działałem na „wystawce" we Francji.

Z jednej strony łatwiej jest wyczyścić gościa, który wybiera siano z bankomatu, ale z drugiej strony nigdy nie masz gwarancji, że ktoś akurat się przy nim znajdzie albo że będzie brał taką sumę, dla której warto go stuknąć. A może w ogóle nic nie będzie wybierał, tylko sprawdzi stan konta i pójdzie sobie w diabły?

Bankomatów jest wiele, a ty możesz obstawić tylko jeden, konkretny. Oczywiście wcześniej czy później ktoś się przy nim pojawi, ale to może potrwać.

Tak czy inaczej, dziś jest trudniej.

Bo kiedyś, jeśli chciałeś mieć pewność, że trafisz na gościa z hajsem, szedłeś do banku i zawsze ktoś tam coś pobierał. Banków jest dużo mniej niż bankomatów, a klientów – wielu, szczególnie w wakacje. Mówię o miastach turystycznych, takich jak Saint-Tropez.

Kopnąłem się tam po tym, jak wyczyściłem tego nieszczęśnika w Antibes. Niby nie musiałem, ale uznałem, że w ruchu jestem bezpieczniejszy. Taki znikający punkt.

Poza tym – możesz się śmiać, leję na to – byłem ciekaw świata. W dzieciństwie oglądałem filmy z de Funèsem i Saint-Tropez szczególnie zapadło mi w pamięć. Oglądałeś *Żandarmów z Saint-Tropez?* Głupie, w sumie mało śmieszne, ale wtedy wydawało mi się najlepszą komedią świata. Zresztą, ja nie lubię komedii – może jestem zbyt ponury, może wolę filmy, w których leje się krew? Nie, tych drugich też nie lubię – bo co taki scenarzysta wie o przelewaniu krwi?

Nieważne – pojechałem tam, bo chciałem zobaczyć miasto, które znałem z czarno-białej telewizji. Powiem ci tylko tyle: w rzeczywistości wyglądało zupełnie inaczej. Okazało się większe, niż sobie wyobrażałem, bardziej eleganckie. No i w kolorze, rzecz jasna. Na promenadzie było mnóstwo kafejek, a na morzu kołysały się jachty. Na wzgórzu, tuż obok portu, znajdowała się cytadela – a może mylę Saint-Tropez z Antibes? Minęło już tyle czasu. Nie, chyba nie mylę – naprawdę były tam jakieś fortyfikacje, mury, baszty... Zresztą w Antibes też było coś podobnego; może w każdym nadmorskim miasteczku we Francji budowali takie umocnienia?

Pamiętam, że nad starym miastem górowała jakaś wieża, może kościelna, a na jej szczycie umieszczono zegar. I pamiętam też, że była szósta po południu, kiedy zobaczyłem tego gościa.

Wchodził do banku – w jego nazwie widniało słowo „Credit”. Wszedłem za nim. Dziś zawahałbym się, obawiając się kamer przemysłowych, ale w tamtych czasach chyba w ogóle ich nie było, a jeśli nawet je montowano, to ja nie miałem świadomości ich istnienia.

Nie umiem ci dziś powiedzieć, dlaczego akurat ten facet i akurat ten bank – po prostu znalazłem się we właściwym miejscu o właściwej porze. A może inne miejsce byłoby jeszcze właściwsze? Tego się nie dowiemy.

Byłem w samym sercu miasteczka, co chwila migał mi napis „Banque". Nie byłem wybredny i wszedłem do pierwszego z brzegu. Facet ruszył do okienka, a ja zająłem się przeglądaniem jakichś ulotek – że niby interesuje mnie założenie lokaty.

Jednym okiem patrzyłem na folder, a drugim na faceta. Podał coś panience z okienka, ona gapiła się na to przez dobrą minutę, potem gdzieś zadzwoniła, udała się na zaplecze, kogoś ze sobą przyprowadziła, następnie razem się na coś gapili, po czym ten drugi pracownik banku coś podpisał i poszedł sobie w pizdu. A kasjerka zaczęła podawać klientowi banknoty. Najwyraźniej rozpoczęła się realizacja czeku. A może jakiejś innej obligacji? To mnie nie interesowało.

Zanim panienka wypłaciła mu całą forsę, ja wyszedłem z banku, zabierając ulotkę. Że niby facet zupełnie mnie interesuje, że nie zwróciłem na niego uwagi.

Stanąłem za rogiem i czekałem, aż wyjdzie. Po kilku minutach szedł już ulicą. Taką długą, wąską, ciemną ulicą, której nazwy nie znam. Kręciło się dużo ludzi, więc nie miałem nawet co marzyć, żeby go tam zaatakować. Następnie gość skręcił w lewo, na jakiś placyk, a potem poszedł główną ulicą. Albo jedną z głównych.

Pomyślałem sobie, że nici z roboty, bo tam to już naprawdę nie było warunków do tego, by zrobić gościowi jakieś kuku, ale nagle nastąpił zwrot akcji. Po przejściu pięćdziesięciu metrów wszedł na parking, na którym było wprawdzie kilkanaście samochodów, ale ani żywej duszy. No, przynajmniej ja nikogo nie dostrzegłem.

Żeby było jasne – nie potrzebowałem totalnej głuszy, żadnego ciemnego lasu. Nie bałem się ostrej akcji, byłem przygotowany na szybkie działanie i umiałem rozpływać się jak we mgle. Nowicjusz nie zaatakowałby na parkingu przy ruchliwej ulicy – to było zbyt niebezpieczne. Wiadomo, że ofiara zacznie drzeć mordę, zbiegną się ludzie, ktoś zawiadomi gliny, a może na miejscu znajdzie się kilku tajniaków i wyciągną klamki? Lepiej nie...

Ale ja wiedziałem, że będę górą. Mój klient podszedł do samochodu – to był Peugeot 405, fajna fura, choć podobno awaryjna – i zaczął otwierać drzwi. Oczywiście kluczykiem, bo o pilotach chyba nikt wtedy jeszcze nie słyszał. Cichutko, na palcach, zbliżyłem się do niego. Był schylony, kiedy zarzuciłem mu linkę na szyję.

Aha, bo ja ci o tym jeszcze nie mówiłem! Jak byłem w Warszawie, to jeden z chłopaków chwalił się, że umie zabijać garotą. Podejrzewam, że tak naprawdę nikogo nie zabił, bo gdy pytaliśmy o konkrety, to mrużył oczy i głupkowato się uśmiechał, jakby chciał dać coś do zrozumienia, a jednocześnie miał niewiele do powiedzenia, ale z pewnością wiedział, jak się tym posługiwać.

Ta zabawka szczególnie przypadła mi do gustu – łatwa do zrobienia, poręczna, nierzucająca się w oczy. Właściwie sama cienka linka i dwa uchwyty; prawie jak skakanka, tyle że krótka. Sporo czasu ćwiczyliśmy duszenie na poduszce; pokazywał mi, jak dusić, żeby udusić. Bo kluczem do sukcesu jest sprawne zadzierzgnięcie – trzeba to zrobić błyskawicznie i z całej siły. Tu nie ma miejsca na roztrząsanie problemu. Jeśli użyjesz cienkiej fortepianowej struny, to możesz klientowi nawet obciąć łeb.

Ja miałem dość cienką linkę, przypominającą sznurek od snopowiązałki. Znalazłem ją pod jakimś supermarketem. Do jej końców przymocowałem cienkie drewniane wałki, takie na dziesięć centymetrów, i już miałem broń.

No więc gdy gość się pochylił, zacisnąłem garotę na jego szyi. Okazało się jednak, że człowiek to nie poduszka – myślałem, że będzie jak w filmie i facet od razu osunie się na glebę. Ale on był, jebany, spragniony życia i nie zamierzał poddawać się od razu. Karczycho też miał jak jakiś paker.

Inna sprawa, że ja, bądźmy szczerzy, spartoliłem robotę – to wszystko działo się za długo, a ja nie zacisnąłem z odpowiednią siłą. Próbował wsadzić palec pod linkę, ale na szczęście to mu się nie udało. Szarpał się, szarpał, walił pięściami w dach samochodu i sądziłem, że nigdy nie uda mi się wysłać go do nieba. I kiedy już byłem bliski rezygnacji, nagle padł na karoserię, a potem wypierdolił się na ziemię.

Podejrzewam, że nikt niczego nie zauważył, bo życie na ulicy toczyło się jakby nigdy nic.

Zabrałem mu portfel, wskoczyłem do peugeota i ruszyłem przed siebie. Jechałem dobrych kilkaset kilometrów, dopóki nie zabrakło mi benzyny. Kiedy auto w końcu stanęło – a było to na przedmieściach Grenoble – wytarłem koszulą kierownicę, żeby nie było na niej odcisków palców, zdjąłem tablice rejestracyjne (chyba po to, by policja nie skojarzyła auta z trupem w Saint-Tropez) i poszedłem przed siebie.

Do dziś się zastanawiam, dlaczego facet nie krzyczał. Może jak masz garotę na szyi, to nie jesteś w stanie krzyczeć?

Zawartość portfela rozwiewała wszystkie wątpliwości...

ROZDZIAŁ 23

*Bardzo lubię cytaty, oczywiście*
*wtedy, kiedy pasują do okoliczności*

Bardzo lubię cytaty, oczywiście wtedy, kiedy pasują do okoliczności. Posłuchaj: „To, co intelektualne i szlachetne, nie może istnieć bez współudziału tego, co złe i materialne. Powiedzmy więc: można człowieka traktować jako podłe indywiduum i w ten sposób doprowadzić go do ostateczności, można go też rozentuzjazmować i tym samym nie zmusić do ostateczności. Przeto wahamy się między obiema metodami i mieszamy je ze sobą; na tym wszystko polega".

Poznajesz? To znowu z *Człowieka bez właściwości* Musila. Nie wiesz, jak to zinterpretować? A jaki to problem? Przecież to jasne jak słońce: bez takich jak ja nie ma takich ja ty. Zakładając, że uważasz się za człowieka bez skazy i inni też cię tak postrzegają. Ja spełniam w społeczeństwie bardzo ważną funkcję – jestem jak gówno, które zamienia się w nawóz i pomaga ziemi rodzić piękne kwiaty.

Gdyby wszyscy byli aniołami, nikt tak naprawdę nie byłby aniołem. Bo anioł to istota wyższego rzędu, a skąd wziąć ten wyższy pułap, skoro wszyscy jesteśmy maksymalnie wysoko?

Dzięki takim jak ja możesz uświadomić sobie, jak bardzo jesteś dobry. A kiedy mnie złapią i wydadzą na mnie wyrok, bijesz brawo, bo znowu jasność wygrała z ciemnością. Oczywiście natychmiast o mnie zapominasz – nie interesuję cię jako człowiek, jako jednostka, którą też coś ukształtowało, ale stanowię dla ciebie jakiś pieprzony element statystyki. Przypadek X, który wpisuje się w całą serię przypadków X do nieskończoności i trafia do rubryki, która została dla niego stworzona. Jakie to byłoby straszne i nienaturalne, gdybym jakimś cudem uniknął takiego zaszufladkowania! Ale spokojnie, nie ma powodu do obaw: policja działa sprawnie, a prokuratura nie pobłaża.

Wiesz, ja też uważam, że dobrze się stało, że wrzucili mnie do tej rubryki – może nie ma tu komfortowych warunków, ale przynajmniej czuję się właściwym człowiekiem na właściwym miejscu. A to bardzo ważne.

Wracając do Francji, zabiłem tam więcej ludzi, tylko nie chcę cię zamęczać podobnymi historiami. Poza tym nie mogę pozwolić na to, abyś zwątpił w prawdziwość mojej relacji – jeśli będzie za dużo trupów, możesz zacząć podejrzewać, że zmyślam. No bo co za dużo, to niezdrowo.

A ja nie zmyślam... Dlatego podaję ci najsmaczniejsze kąski, a nadmiar węglowodanów wyrzucam. Czyli dostajesz krwisty befsztyk, a ziemniaki zostają w garnku.

Po ucieczce z Saint-Tropez pokręciłem się jeszcze między żabojadami, zarobiłem uczciwie trochę pieniędzy i pojechałem do Niemiec. Stamtąd po jakimś tygodniu wróciłem do Polski, do Warszawy.

Szybko odnalazłem Palmela – „się masz, się masz, git nawijasz, ile ważysz?" – i spytałem, czy mogę wrócić do miasta. A on na to, że w tym czasie, kiedy byłem we Francji, psy zatrzymały chłopaków od tego napadu, ale nikt się na mnie nie spruł, więc mogę być spokojny, tym bardziej że po jakimś czasie wszystkich wypuszczono, bo dowody nie były zbyt mocne. Niby zawinęli tych, co trzeba, ale chcieli ten napad doklepać jeszcze kilku innym chłopakom, zupełnie niezwiązanym ze sprawą, więc zeznania się wzajemnie wykluczały i prokurator machnął ręką. Chuj, jeszcze jedna niewyjaśniona sprawa, do której kiedyś wróci jakieś Archiwum X. Jak masz za dużo grzybów w barszczu, to zupka robi się niejadalna.

Tak czy inaczej, wróciłem do Palmela i ekipy, z którą w przeszłości kręciłem jakieś tam lody. Wszystko hulało jak trzeba, głównie fury i narkotyki, lecz ja z każdym miesiącem coraz bardziej uświadamiałem sobie, że jednak nie do końca pasuję do stada. Niby wszystko dobrze – sztywne chłopaki i spory hajs, ale coś mnie ciągnęło do roboty na własną rękę. Zresztą trochę mnie wkurwiało, że do większych akcji, takich naprawdę grubych, raczej mnie nie dopuszczali. Jak się zaczął boom z haraczowaniem salonów gier i siano było z tego naprawdę gigantyczne, to tylko słyszałem, że jestem dobry w furach i w rozrzucaniu koksu, to po co mam wskakiwać w nie swoje buty?

Pytano mnie: źle ci z tym, co masz? Brakuje ci, kurwa, czegoś?

A brakowało mi szacunku – no bo jak cię nie dopuszczają do naprawdę dużego tortu, to znaczy, że mają cię w czterech literach. Tak przynajmniej wtedy myślałem. A ja na punkcie szacunku do mojej osoby mam hyzia.

Ty może mnie nie szanujesz, leję na to, ale ja sam do siebie respekt mam duży. Zasłużyłem.

Nieważne. Akurat rozwijał się internet – czyli jesteśmy w drugiej połowie lat dziewięćdziesiątych – i zaczęły się pojawiać portale randkowe. Wiesz, takie strony dla gości, którzy chcą sobie poruchać, ale nie wiedzą, jak się do tego zabrać, i dla lasek, które nie wiedzą, jak znaleźć bolca. A wiadomo: kobieta bez bolca dostaje pierdolca, no nie?

I pomyślałem, że w tym kryje się moja szansa.

Prawdę mówiąc, sam byłem dość potrzebowski, no bo jednak regularnego dymania to nie miałem już od dawna, poza tym zdawałem sobie sprawę z tego, że kobieta zakochana, a zwłaszcza dobrze wydmuchana, traci kontrolę i łatwo ją zmanipulować. Postanowiłem połączyć przyjemne z pożytecznym. W młodości naczytałem się o oszustach matrymonialnych i nieraz przychodziło mi do głowy, żeby spróbować zakręcić się koło jakiejś pani i wyciągnąć z niej, ile się da. Czy byłbym w stanie to zrobić?

Zresztą kilka lat wcześniej dużo mówiło się o pewnym zawodowym uwodzicielu, Jerzym Kalibabce, który krążył po Polsce i czarował naiwne babki. Pamiętasz serial *Tulipan*? To o nim. Pomyślałem sobie, że nie jestem gorszy od niego, a na pewno nie mniej przystojny. Byłem dobrze umięśniony, wygadany, a jakby co, mogłem zafundować opowieść z Lazurowego Wybrzeża. Kobiety lubią światowców.

Zarejestrowałem się na jednym z portali i jeszcze tego samego dnia przyszedł komunikat: Iwona K. bardzo chciałaby się ze mną spotkać, bo uważa, że jestem mężczyzną interesującym i mógłbym dać jej to, czego oczekuje. Ona jest wprawdzie wymagająca, na byle kogo nie poleci, ale jeśli wzbudzę w niej to, czego jeszcze żaden pan nie wzbudził, to... Kurwa, co ja ci tu będę tłumaczył? Ruchać się chciała. A przynajmniej przytulić do męskiego ramienia. Tyle że nie chciała zbyt tanio sprzedać skóry.

Po krótkiej korespondencji umówiliśmy się na spotkanie w kawiarni. Nie w Warszawie – w Płocku, bo ona była stamtąd.

Nie podobało mi się tylko to, że wysłała mi zdjęcie, z którego nic nie wynikało – mogła być ładna, ale mogła też być... ładna inaczej. Stała w cieniu jakiegoś drzewa, a w tle lśniło jezioro. Potem dowiedziałem się, że fotkę cyknęła jej koleżanka podczas wspólnego wypadu na Mazury, do Pisza.

Była po czterdziestce...

Była...

ROZDZIAŁ 24

*Pamiętam, że to była kawiarnia*
*na jakimś głównym placu*

Pamiętam, że to była kawiarnia na jakimś głównym placu, Starym Rynku czy coś takiego. Bardzo blisko urzędu miasta. Nawet niebrzydka okolica...

Umówiliśmy się, że będzie trzymała w ręku gazetę. I faktycznie – miała ze sobą jakiś magazyn dla kucht. Ale nawet jakby nic nie miała – nawet jakby założyła perukę i udawała faceta – od razu bym skumał, że to ona. Oczy nie kłamią, a w jej spojrzeniu była taka mieszanina lęku, nadziei i pragnienia fiuta, że od razu wytypowałem właściwy cel.

Cudo to to nie było – niewysoka, pulchniutka, w staromodnych okularach. Ale ubrana nieźle – do Cannes wprawdzie się nie nadawała, ale wszystko ze smakiem, dobrej jakości.

Podszedłem do niej, przywitałem się elegancko, z cmoknięciem w rękę, i zaprosiłem ją do mojego stolika.

Kawka, woda mineralna, szarlotka – zachowywałem się elegancko i wyczułem, że bardzo jej się to podoba; że zaczyna się czuć jak prawdziwa dama. Miękła w oczach – wiedziałem, że jeśli tylko będę chciał, pójdzie ze mną do łóżka jeszcze tego samego dnia.

Ale ja postanowiłem dać nam na wstrzymanie, choć, prawdę mówiąc, byłem tak wyposzczony, że przeleciałbym ją od razu w kawiarnianej toalecie. Bo to nie był jakiś straszny paszkwil – po prostu kobitka przy tuszy, lekko dziabnięta zębem czasu. Nawet nie trzeba jej było kłaść gazety na twarz. Bardziej na brzuch.

Trochę mi o sobie opowiedziała, ale myślę, że na początku nie chciała się wyprztykać ze wszystkiego, dlatego zapamiętałem głównie to, że jej kot wabił się Filemon. Filemon, kurwa, jak z tej dobranocki. Ale to była dla mnie ważna informacja: baba jest infantylna, pewnie naiwna i jakby co, łatwo ją będzie przekręcić na hajs. Zresztą powiedziała, że finansowo stoi nieźle, bo zarabia przyzwoicie, a wydatki ma niewielkie, nie lubi szastać kasą na lewo i prawo. Ma wszystko, czego jej potrzeba, a brakuje jej... Brakuje jej szczęścia u boku przystojnego i odpowiedzialnego mężczyzny.

Skumałem, że bardzo jej się podobam i będzie chciała mnie przytrzymać.

Od razu zaprosiła mnie do domu – mieszkała na jakimś nowym osiedlu przy wylotówce na Warszawę – ale ja się wyłgałem, mówiąc, że tego dnia mam jeszcze obowiązki służbowe. Wymyśliłem sobie legendę, że jestem handlowcem dużej firmy kosmetycznej i krążę po kraju. Chatę mam wprawdzie pod Warszawą – oczywiście dom z ogrodem, jeszcze bez basenu – ale rzadko tam bywam.

Chciałem, aby się przekonała, że nie jestem napalony na jej dupę, że wszystko ma swój czas i miejsce, zwłaszcza jeśli jest się takim staromodnym facetem jak ja.

Kiedy spytała mnie o wiek – a było widać, że jest między nami spora różnica – postarzyłem się o pięć lat. To było wiarygodne, bo zawsze wyglądałem poważnie, a do tego zapuściłem wąsy.

Przede wszystkim jednak dałem kobiecie do zrozumienia, że bardzo ją szanuję i nie zamierzam potraktować jej jak kurwy – jeśli mamy się ku sobie, niech da mi jeszcze trochę czasu. Powiedzmy, tydzień. Obiecałem, że wtedy odwiedzę ją w domu i wszystko może się zdarzyć.

Widać było, że jest kapkę rozczarowana, ale uśmiechnęła się, podziękowała za miłe spotkanie, pocałowała mnie w policzek, chociaż bardzo blisko ust – ewidentnie chciała się liznąć – i poszła w swoją stronę.

A ja w swoją...

Tydzień później przyjechałem do niej do domu. W lewej ręce miałem bukiet róż, a w prawej – butelkę czerwonego francuskiego wina. Harlequin, kurwa mać...

Dzwonię do drzwi dokładnie o umówionej porze – raz, drugi, trzeci, co jest, kurwa, czyżby zapomniała? – w końcu się uchylają. I co ja widzę? Iwonka stoi w samej bieliźnie, takiej niby zmysłowej – czarne majtki, czarny stanik, wypacykowana jest tak, jakby wykupiła cały sklep z kosmetykami, i jedzie od niej jakimiś ostrymi perfumami. Na nogach ma buty na wysokim obcasie, co wcale nie czyni jej bardziej seksowną, a raczej – groteskową. Cellulit wylewa się drzwiami i oknami, ale przecież wiedziałem, że nie jest modelką.

Uśmiecha się i zaprasza do środka...

Pomyślałem sobie: nie ma wyjścia, trzeba nadziać babę. Jebnąłem kwiaty w kąt, w try miga zrzuciłem ubranie, popchnąłem Iwonkę na wersalkę i przeleciałem ją tak, że darła się wniebogłosy.

Potem przyznała, że nikt nigdy jej tak nie dogodził.

Gdy już skończyliśmy się ruchać, rozlałem wino do kieliszków i wypiliśmy całą butelkę. Następnie ona wyjęła z barku nalewkę – to chyba była pigwówka jej własnej roboty – i wypiliśmy po lufce.

Dobra była ta nalewka – grzała w przełyku jak farelka.

Potem znów chciała się ruchać, ale mi nie stawał, więc, jak to się mówi, pojechałem na ręcznym i też jej było bardzo dobrze.

A już po wszystkim poszła do kuchni i chwilę później po całym mieszkaniu rozszedł się bardzo przyjemny zapach pieczystego. Muszę przyznać, że się postarała i kolacja była świetna. Taka prawdziwa polska kuchnia – mięso z sosem grzybowym, kapusta, buraczki... Palce, kurwa, lizać!

Potem znowu winko, tym razem jakieś słodkie. I znów do wyra. Czas płynął przyjemnie, a kot Filemon miauczał na balkonie.

Nie lubię kotów, brzydzę się nimi.

Nie będę ci opowiadał dzień po dniu, jak się ta nasza miłość rozwijała, w każdym razie zdobyłem jej zaufanie, a po miesiącu – klucze od mieszkania. Uznaliśmy, że skoro Płock jest na trasie moich służbowych podróży, to ja będę tu od czasu do czasu nocował. A po co mam czekać, aż ona wróci na kwadrat, skoro mogę wejść jak do swego?

Początkowo przyjeżdżałem na jedną noc, potem na dwie, trzy, aż w końcu pomieszkiwałem u niej nawet przez tydzień. Nigdy dłużej, żeby się nie zorientowała, że tak naprawdę nie mam żadnego domu pod Warszawą.

Pewnego razu pożyczyłem od niej tysiąc złotych – powiedziałem, że kupuję w hurtowni jakiś towar, przekroczyłem limit i muszę założyć na kilka dni z własnej kieszeni. Ta bajka miała same słabe strony, w sumie dobrze jej nie przemyślałem, ale na szczęście ona o nic nie pytała, wyskoczyła z hajsu i powiedziała, że mogę jej oddać, kiedy będzie mi to na rękę.

To była oczywiście gra z mojej strony – kasę oddałem dwa dni później i jeszcze dorzuciłem jakiś wiecheć, chyba goździki czy inne gerbery.

Chodziło mi o budowanie zaufania, a przy okazji chciałem się zorientować, ile tak naprawdę ma kasy i gdzie ją trzyma. Bo jeśli w banku, to sprawa będzie wymagała czasu i atłasu.

Trzy tygodnie później powtórzyłem ten sam manewr. Wziąłem od niej kasę – tym razem dwa koła – i zwróciłem po kilku dniach.

Nie uwierzysz – niedługo potem wsadziła mi do kieszeni pięć patyków i powiedziała, żebym trzymał je na wszelki wypadek. To są jej pieniądze, ale ja mogę nimi rozporządzać i zwracać je w miarę możliwości.

Grzecznie oddałem jej tę kasę, mówiąc, że generalnie nie mam problemów finansowych – po prostu czasem pożyczam niewielką sumę, kiedy nie mam przy sobie gotówki, a muszę coś szybko załatwić.

Potem zdarłem z niej spódnicę i rajstopy i po raz kolejny udowodniłem Iwonce, że w temacie damsko-męskim dokonała najlepszego wyboru.

Następnego dnia poznała mnie ze swoją najbliższą przyjaciółką – Edytą. Tą, która zrobiła jej to zdjęcie podczas wakacji w Piszu.

Edyta mieszkała dwa bloki dalej. Zaczęliśmy się spotykać we trójkę. Edyta była trochę młodsza od Iwonki i o wiele ładniejsza – taka czarna zdzira, która od samego początku patrzyła na mnie jak na jednego wielkiego chuja. Iwonka niczego nie skumała i dalej ją zapraszała. A tej było w to graj.

Na razie Edyta nie zapraszała nas do siebie, bo miała w domu małe dziecko i chyba trochę się tego krępowała – jakiś facet zmajstrował jej bachora, a potem się wypiął i pojechał w siną dal.

Wyczułem, że Edytka chce odgrywać rolę wampa, a gdybym pojawił się w jej mieszkaniu i stanął między łóżeczkiem a stosem pieluch i pluszowych misiów, to czar by prysł.

Już wtedy wiedziałem, że czeka mnie ostre ruchanie, ale nie miałem pojęcia, czy z tego ruchania będą jakie-kolwiek pieniądze...

## ROZDZIAŁ 25

*Jeśli chcesz mnie zatrzymać*
*(patrz idę) daj rękę*

*Jeśli chcesz mnie zatrzymać (patrz idę) daj rękę*
*tchnij w moje usta oddech (tak ratuje się utopionych)*
*nie mam wielkiej nadziei, długo byłam sama*
*niemniej, uczyń to proszę, nie dla mnie, dla siebie*

Taki list od niej dostałem, od Iwonki... Autorka nazywa
się Poświatowska, nigdy wcześniej o niej nie słyszałem.
Jakaś poetka. Chociaż sporo w życiu przeczytałem, poe-
zja jakoś mnie nie kręci, nie znam się na tym, nie znam
nazwisk słynnych poetów.

Oczywiście nie dostałem tego listu pocztą – znalazłem
go w kieszeni kurtki, widocznie wetknęła mi go, kiedy
spałem. Szukałem chusteczki do nosa, a znalazłem poezję.

Nie mam pojęcia, co chciała mi za pośrednictwem
tego wiersza przekazać – może to, że przede mną mało
kto ją bzykał, a teraz, kiedy nie może narzekać na brak
faceta, boi się, żebym nie dał w długą. No tak, ale
przecież napisała: „Jeśli chcesz mnie zatrzymać (patrz
idę)", czyli że to ona się gdzieś wybierała, ona chciała
mnie zostawić. A może to kokieteria, na zasadzie: trzymam cię mocno i próbuję odejść.

Tak czy inaczej, była bardziej uczuciowa, niż sądziłem. Chociaż miała swoje lata, ciągle siedziała w niej mała dziewczynka, która prowadzi pamiętnik. A to mi akurat pasowało, bo na takich babkach robi się najlepsze wałki.

Ja też jej kiedyś wiersz podrzuciłem, tyle że mniej romantyczny, za to dowcipniejszy. Tak mi się przynajmniej wydawało. A przede wszystkim – sam go wymyśliłem. Kiedyś rano, wychodząc z domu, położyłem jej kartkę na brzuchu – spała jak zabita i nic nie czuła. A kiedy się obudziła, przeczytała: „Wprawdzie jestem spora foka, ale łyknę jeszcze smoka".

Ten wierszyk nie miał podtekstu erotycznego, ale ona tak to odebrała. I obraziła się za tę fokę, chociaż przez kilka kolejnych dni zapewniałem ją, że foki są bardzo urocze i wcale nie miałem na myśli jej wagi, bo przecież daleko jej do foki. W końcu machnęła ręką i już nigdy więcej nie częstowaliśmy się poezją.

A teraz wracam do Edyty – z każdym dniem jarałem ją coraz bardziej, na każdym kroku dawała mi odczuć, że między nami niepotrzebne są żadne gry wstępne i przy pierwszej lepszej okazji będzie ostre pukanie.

Można powiedzieć, że dostałem odcisków od ciągłego nadeptywania mi obcasem na stopę.

Okazja nadarzyła się już wkrótce. Iwonka wyjechała na dwa dni do swojej kuzynki w Ostródzie – nawet proponowała mi wspólny wypad, ale nie chciałem, żeby za wiele osób wiedziało o naszej „miłości", więc jakoś się wyłgałem – a ja zostałem na włościach w Płocku. Edytka wiedziała o tym wyjeździe, więc odwiedziła mnie tego samego wieczoru. Przyniosła ze sobą butelkę jakiegoś winiaku, na wypadek gdybym nie chciał się do niej zabrać na trzeźwo.

Wypiliśmy po dwie lufki i bez zbędnych ceregieli zaczęliśmy się lizać. A potem szybko przeszliśmy do głównego dania i bzykaliśmy się do późnej nocy. Tak mi, pieprzona, podrapała plecy, że bałem się, że ślady nie zejdą do powrotu Iwonki. Ale rano już ich nie było. Następnego dnia powtórzyliśmy akcję i muszę przyznać, że fajnie mi się uprawiało miłość z Edytką, bo była o wiele bardziej namiętna od Iwonki i znała takie numery, o jakich ta niby moja nigdy nie słyszała.

Ten trójkąt trwał jeszcze kilka miesięcy – oficjalnie byłem partnerem Iwonki, ale kiedy tylko nadarzała się możliwość, pieprzyłem Edytkę. Nawet raz zabrałem ją na noc do jakiegoś innego miasta – o ile pamiętam, był to Inowrocław – żeby móc trochę dłużej i na spokojnie pobawić się z moją, jak by to powiedzieć, kochanką.

Pewnego dnia Edytka – patrz, jaka suka, niby taka wielka przyjaciółka Iwonki – powiedziała mi: „Ona ma forsy jak lodu, odziedziczyła po wujku z Ameryki. Będzie tego z dziesięć tysięcy dolarów. Ona się tym nie chwali, ale wszystko trzyma w domu, nie mam pojęcia gdzie".

Udałem, że ta informacja nie zrobiła na mnie wielkiego wrażenia, ale oczywiście postanowiłem niezwłocznie przystąpić do działania.

Kiedy zostałem sam w domu, zrobiłem prawdziwy kipisz – wybebeszyłem wszystkie szafy, półki i komody, ale niczego ciekawego nie znalazłem. Kiedy już byłem bliski poddania się – w sumie kto powiedział, że Edytka mówiła prawdę, może chciała mnie sprawdzić?

– dostrzegłem niewielką szkatułkę przymocowaną do jednej z kuchennych szafek. Oczywiście od środka. Oderwałem ją i potraktowałem młotkiem, bo była zamknięta na klucz. Na podłogę wysypały się dolary. Po przeliczeniu okazało się jednak, że znajdowało się tam o wiele mniej, niż mówiła Edytka – raptem trzy koła z jakimś niewielkim hakiem.

Dobre i to, pomyślałem i wsunąłem kasę do kieszeni. Gdybym zdecydował się na szybkie opuszczenie domu Iwonki, pewnie wszystko skończyłoby się w miarę dobrze dla nas wszystkich. Ale ja zacząłem kombinować: spadać czy nie spadać? Czy trzy tysiące to wystarczająca suma, żeby zniknąć z życia Iwonki, czy lepiej dalej z nią grać? No ale jak tu grać, skoro pieniądze zostały zwinięte, a skarbonka rozpirzona w drobiazgi? Gdyby skarbonka była cała, można by wszystko posprzątać, doprowadzić mieszkanie do poprzedniego stanu, licząc na to, że Iwonka się nie zorientuje, i udawać, że wszystko jest w porządku.

Gdy tak się zastanawiałem, usłyszałem jej głos:

– Tobie tylko o to chodziło?

No a potem zaczęła mnie wyzywać od złodziei, skurwysynów i facetów bez zasad. Poczęstowała mnie jeszcze setką innych epitetów, na które, w moim odczuciu, nie zasłużyłem. Bo jak baba jest zakochana, to częstuje cię czułymi słówkami, ale jak ją zawiedziesz, to wali w ciebie jak w bęben, bez żadnego opamiętania.

Nie wiedziałem, jak się zachować – patrzyłem w podłogę, zupełnie jak uczeń przyłapany za ściąganiu. Kiedy zapytała mnie, skąd wiedziałem o tych pieniądzach, odparłem, że to przez przypadek. Szukałem cennych rzeczy i natknąłem się na to. Nie skumała, że to wszystko sprawka Edyty.

Cały czas zastanawiałem się, co robić, choć wyjście – nazwijmy to – ostateczne wydawało mi się coraz lepszym rozwiązaniem.

Kiedy padło magiczne słowo „policja", a potem „więzienie", jebnąłem Iwonkę tym samym młotkiem, którym otworzyłem szkatułkę. Padła na glebę, a z czoła popłynęła jej krew. Widocznie nie uderzyłem wystarczająco mocno, bo ciągle coś tam mamrotała pod nosem, choć z każdą sekundą coraz słabiej. To chyba było: „Jezu, Jezu, Jezu". Udusiłem ją sznurkiem do wieszania bielizny.

Zabrałem wszystkie swoje rzeczy – nie było ich wiele – oraz młotek i wybiegłem z mieszkania. Drzwi zamknąłem na klucz, żeby żaden sąsiad przez przypadek nie dostał się do środka, i chciałem biec na dworzec. Autobusowy, kolejowy, bez znaczenia.

Przyszło mi jednak do głowy, że muszę jeszcze uciszyć Edytkę, bo jak ją przyciśnie policja, to wszystko o mnie wyśpiewa. Mając nadzieję, że jest w domu, pobiegłem do niej. Kilka razy zadzwoniłem do drzwi, ale odpowiedział mi tylko płacz dziecka – widocznie gdzieś wyszła, pewnie na krótko, lecz nie mogłem czekać.

Logika podpowiadała, że czas mojej bezkarności się kończy, bo psy szybko zorientują się, kto stoi za zabójstwem. Wprawdzie mojej tożsamości nikt nie znał, prawdę mówiąc, sam zatraciłem poczucie, kim tak naprawdę jestem, no ale ze sporządzeniem portretu pamięciowego policja nie będzie miała problemów.

Logika mówiła mi jedno, ale intuicja przekonywała, że w trasie jestem bezpieczny – jeśli wsiądę do pociągu, rozpłynę się jak we mgle. Potem jeszcze trochę pojeżdżę, wyskoczę gdzieś za granicę, znów wrócę i wszystko będzie po staremu. Może skontaktuję się z „miastem" i chłopcy od Palmela gdzieś mnie zadekują?

„Będzie dobrze – powtarzałem sobie – będzie dobrze..."

## ROZDZIAŁ 26

*Najbliższy był odjazd do Kutna*

Najbliższy był odjazd do Kutna – wskoczyłem do pociągu, bo chciałem jak najszybciej zniknąć z Płocka. Nawet nie kupiłem biletu, ale to akurat najmniejsze zmartwienie. Z doświadczenia wiedziałem, że w Kutnie będzie znacznie więcej możliwości – tam przesiądę się do pociągu jadącego naprawdę daleko. Jak się uprę, to nawet do Berlina.

Faktycznie – jakieś piętnaście minut po przyjeździe miałem pospieszny do Gorzowa Wielkopolskiego. Tym razem kupiłem bilet, zająłem miejsce i modliłem się o to, aby pociąg ruszył jak najszybciej.

W miarę jak nabierał tempa, schodziło ze mnie napięcie – mój oddech powoli się wyrównywał, a ręce przestały się trząść. Zdziwiłem się – ostatecznie przed Iwonką wysłałem do nieba naprawdę wiele osób i każde kolejne zabójstwo robiło na mnie coraz mniejsze wrażenie. Teraz było trochę inaczej – czułem się tak, jakbym zabił po raz pierwszy. Albo inaczej – jakbym po raz pierwszy zabił kogoś bliskiego. No ale przecież Iwonka wcale nie była mi bliska – to, że ją pukałem, nie oznaczało żadnej wielkiej miłości, przynajmniej z mojej strony. Ja tylko miałem zdobyć środki do życia i w większym albo mniejszym stopniu mój plan się powiódł. A jednak... serce ciągle mi waliło, jakbym przebiegł czterysta metrów w szybkim tempie.

Dziś wiem – za bardzo zbliżyłem się do ofiary i nabrałem do niej stosunku emocjonalnego. Nie zdawałem sobie z tego sprawy, kiedy żyła, ale po jej śmierci trochę mnie to jebnęło. Oczywiście bez przesady – nie żałowałem jej ani trochę, ale żałowałem... siebie. Chociaż w kontekście jej osoby.

Kiedy zabijałem turystę na Lazurowym Wybrzeżu, to tak, jakbym kopnął psa. A śmierć Iwonki miała inny wymiar... Kurwa, nie będę tu filozofował, bo nie jestem w stanie dokładnie wyrazić tego, co wówczas czułem. Brakuje mi słów. Albo inaczej – nie umiem tych słów ustawić we właściwym szyku.

Może chodzi o to, że kiedy sugerowała, że moglibyśmy spędzić razem resztę życia, to zdarzało mi się brać to pod uwagę. Nie na poważnie, ot tak, dla zabawy. No ale jednak...

Może to była namiastka domu? Albo zapowiedź namiastki? Albo namiastka namiastki? No, wiesz, takie ciepło, którego nigdy wcześniej nie zaznałem. I zrobiło mi się łyso, że tracę to ciepło. Powtarzam – nie było mi żal tej kobiety, tylko siebie, że tracę coś, czego nikt wcześniej mi nie dawał. W sumie moje życie to jeden wielki pech, ale... zawsze udawało mi się spadać na cztery łapy.

I wierzyłem, że ten pociąg do Gorzowa wywiezie mnie w miejsce, w którym nikt mnie nie znajdzie i znowu spadnę na cztery łapy. Byłoby dziwne, gdybym po tylu latach ucieczki nagle dał się złapać. Przecież umiałem uciekać, a oni – policja, prokuratorzy, sędziowie, wszyscy porządni ludzie, księża, dziennikarze, autorytety – nie umieli mnie zatrzymać. Byłem od nich lepszy, choć mniej wykształcony.

Z każdym kilometrem nabierałem przekonania, że wszystko będzie dobrze, i wtedy oni wsiedli do przedziału...

Kurwa, ja po prostu byłem na nich skazany!

ᘓᘐ

Obaj dobrze po trzydziestce – jeden trochę młodszy, drugi trochę starszy. Ale pedalstwo mieli wypisane na twarzy w równym stopniu. Okazało się, że byli wyjątkowo skłonni do figli – nie wystarczyło im już pieprzyć się we dwóch, ale szukali trzeciego do tego brydża. Nie mam pojęcia, dlaczego zainteresowali się właśnie mną, ale skoro tylu wcześniej zamarzyło sobie zapiąć mnie od tyłu, to jakoś specjalnie mnie to nie zdziwiło.

Oczywiście najpierw były podchody typu: skąd pan jest, czy możemy przejść na ty, pewnie jesteś w delegacji służbowej, żona i dzieci bardzo tęsknią, aha, nie masz żony, może w ogóle nie masz żadnej kobiety, chadzasz czasem na siłownię, a do solarium? Itepe i itede, jak to oni. Poczułem krew...

Poszliśmy na herbatę do warsu i tam delikatnie dałem im do zrozumienia, że nie interesują mnie kobiety – niby nie mam nic przeciwko, znam wiele fajnych babek, ale od młodych lat trzymam się od nich raczej z daleka.

Generalnie są złośliwe i niezbyt dyskretne. A ja bardzo cenię sobie dyskrecję. I prawdziwą męską przyjaźń.

Zresztą kiedyś śpiewałem w chórze, kłamałem, i zorientowałem się, że chłopaki mogą mieć równie anielskie głosy jak dziewczyny. Teraz już nie śpiewam, chyba że pod prysznicem, ale to były bardzo piękne lata, które wspominam z rozrzewnieniem. A co do życia prywatnego, to po prostu wybrałem samotność. Zobaczymy, co przyszłość przyniesie.

Gdyby byli trochę inteligentniejsi, pewnie by wyczuli, że ich wkręcam. A może nikt by nic nie wyczuł, bo byłem mistrzem farmazonu. W każdym razie zaproponowali, że możemy się spotkać w Gorzowie, coś wypić, zjeść, posłuchać dobrej muzyki. Tak się akurat składa, że mieszkają razem, ale nie są kuzynami – po prostu dobrze im w swoim towarzystwie. Kochają muzykę poważną i na pewno znajdą jakąś płytę pode mnie. Posłuchamy, a może nawet pośpiewamy, skoro mam za sobą przeszłość chórzysty.

Udałem, że bardzo mi się podoba taki plan. W głębi duszy zaś oszacowałem, że takie cioty, które słuchają muzyki poważnej, pewnie muszą mieć sporo hajsu, więc warto będzie ich oskubać.

Słuchaliśmy jakiejś opery – pamiętam, że w tytule był *Flet* – kiedy ten starszy zaczął się do mnie dobierać. Nie oponowałem. Czekałem na rozwój wypadków, choć doskonale wiedziałem, na czym to wszystko będzie polegać. Oszczędzę ci szczegółów – migdaliliśmy się dość długo, ale chłopcy nie dostali tego, czego się spodziewali.

Nie ze mną takie trójkąty! Powiedziałem im, że to dla mnie bardzo delikatna sprawa i na pewno nie zrobimy tego w ich mieszkaniu. Boję się kamer, boję się podglądaczy, boję się prowokacji. Są mili, ale nie znam ich i nie ufam im. Jeśli chcą, mogę się z nimi kochać w naturze, gdzieś w lesie – niech sami wybiorą lokalizację, a ja im na miejscu powiem, czy mi pasuje. Zawsze to robię w lesie – powiedziałem – chuj wie po co.

Byli zdziwieni, ale zgodzili się bez problemu. Ten starszy zaproponował, że pojedziemy ich samochodem w plener i tam się zabawimy. Był środek nocy, więc mogłem być spokojny, że nikt nie zobaczy, co robimy. Zeszliśmy na parking, wsiedliśmy do volvo i ruszyliśmy w ich ostatnią drogę. Tu trochę uprzedzam wypadki, ale chyba nie wyobrażasz sobie, że zostawiłem ich przy życiu? Plan był taki, że oskubię ich w tym lesie i zabiorę klucz do domu. Jeśli będzie okazja, pohulam po ich słodkim gniazdku. Na pewno znajdę jakieś fanty.

Pojechaliśmy do jakiegoś parku w pobliżu – uważaj! – cmentarza. Czy ich popierdoliło? Sami się pchali w łapy śmierci.

Zostawiliśmy samochód na parkingu i weszliśmy między drzewa. Tam młodszy złapał mnie jak zapaśnik, co miało sugerować zarówno czułość, jak i siłę, której użyje wobec mnie, jeśli nie będę grzeczny. Starszy podszedł do mnie i zaczął mi majstrować przy spodniach. Oczywiście chciał już mieć w rękach to, co go we mnie mocno zainteresowało. Byli strasznie najarani – nie dam głowy, czy wcześniej nie wciągnęli jakiejś kreski. Bardzo możliwe...

Powiedziałem młodszemu, żeby mnie puścił, bo chcę się rozebrać, i on natychmiast spełnił moją prośbę. Sięgnąłem do kieszeni po nóż...

Chcesz detali czy wystarczy ci informacja, że najpierw sprzedałem kosę młodszemu, a potem starszemu? Rozumiem, jesteś delikatny. Zresztą nie było tam jakiejś strasznej jatki. Prosta robota, standard.

Młodszy dostał kilka razy w brzuch i w serce i padł na glebę. Szybko się wykrwawił. Starszy nie próbował walczyć, tylko od razu dał w długą – rzecz w tym, że sprinter był z niego kiepski: dopadłem go, nomen omen, tuż pod cmentarnym murem, przycisnąłem do niego i tam poderżnąłem mu gardło. Trup na miejscu.

Nie uwierzysz, ale o mur oparta była łopata. Zupełnie jakby grabarz zapił po pogrzebie i zapomniał zabrać swoje narzędzie pracy. A może jakaś siła wyższa – ta sama, która prowadziła mnie bezpiecznie za rękę przez tyle lat – postanowiła mi pomóc po raz kolejny?

Kiedyś w ogóle nie zwróciłbym uwagi na łopatę i pobiegłbym przed siebie – po co zakopywać zwłoki, skoro zaraz rozpłynę się we mgle? Ale tym razem uznałem, że to znak. Jakiś głos z góry mówił do mnie: „Zakop trupy, niech znikną z powierzchni ziemi. Szybko ich nie znajdą".

Chwyciłem za łopatę i zacząłem kopać – ziemia była dziwnie miękka i poddawała mi się bez żadnego oporu. Zupełnie jakbym kopał w piasku. Dziś sądzę, że to wielkie emocje dodawały mi sił – nie czułem wysiłku, a im głębszy był dół, tym łatwiej mi się pracowało. Po kilkunastu minutach grób dla jednej z ofiar był gotowy – oczywiście nie na dwa metry głębokości, najwyżej metr, ale przecież chodziło o to, żeby pozbyć się dowodu, a nie urządzać trupowi uroczysty pogrzeb.

Do dołu wrzuciłem starszego – zwłoki nie chciały jeszcze iść do piachu i zapierały się nogami, ale jakoś upchnąłem denata. Przysypałem je ziemią i nakryłem wszystkim, co było pod ręką – liśćmi, kawałkami mchu, nawet jakimiś śmieciami.

Popatrzyłem na ciało młodszego – wyglądał, jakby spał i za chwilę miał wstać. Ale dziwnym trafem nie wstawał. Otarłem pot i podszedłem do niego – zamierzałem wykopać kolejny grób, nawet wbiłem łopatę w ziemię, ale wtedy jakoś odechciało mi się wszystkiego. Wszystkiego, rozumiesz? Nie tylko kopania grobu, ale... jedzenia, picia, myślenia, szczania, a przede wszystkim nieustannego uciekania. Nie chciało mi się ani odstawić łopaty, ani ruszyć przed siebie. Wiesz, co to jest zmęczenie materiału? Właśnie wtedy poczułem, że mój materiał się zmęczył – po tylu latach idealnego funkcjonowania. W sumie dziwne, że dopiero wtedy.

Rzuciłem łopatę na ziemię i nie patrząc na ciało młodszego, ruszyłem przed siebie.

Szedłem powoli, nigdzie się nie spiesząc. Nie miałem pojęcia, co zrobię za chwilę, co zrobię za godzinę, co zrobię za tydzień. Być może gdybym się spiął i zakopał tego pieprzonego cwela, jeszcze przez jakiś czas nie wiadomo by było, co się stało z dwoma kochasiami.

No ale następnego dnia odkryto obydwa ciała. Świadkowie zeznali, że widziano mnie z nimi w pociągu.

Mój portret pamięciowy doskonale pasował do portretu sporządzonego po znalezieniu ciała Iwonki – tyle że stało się to już po moim zatrzymaniu. W sumie sam im powiedziałem, że wcześniej ją zabiłem. Co za różnica, za ile trupów dostanę wyrok?

Gdzie i kiedy mnie zatrzymali? Dwa dni później. Oczywiście na dworcu, gdy wysiadałem z pociągu. Nie chce mi się opowiadać o szczegółach aresztowania, zresztą, prawdę mówiąc, niewiele z tego pamiętam.

W pamięci mam tylko jeden obrazek – siedzę w pokoju przesłuchań, naprzeciwko mnie jakiś dochodzeniowiec, nie mam pojęcia, która godzina ani jaki dzień tygodnia. On mi zadaje dziesiątki pytań, a ja mam kłopot z najprostszymi odpowiedziami. W końcu podaje mi protokół do podpisania, a ja, zamiast wziąć długopis, spoglądam na niego i mówię zdziwiony: „O co wam chodzi, przecież ja tylko zabijałem".

KONIEC